D1095121

Rezepte aus deutschen Landen

Die Rezepte sind — wenn nicht anders angegeben — für 4 Personen berechnet.

·

Wir danken folgenden Firmen für die freundliche Unterstützung: *AMC, Bingen*
Burda, München
ZEFA, Düsseldorf

Lizenzausgabe: *Manfred Pawlak Verlagsgesellschaft mbH, Herrsching*

Redaktion: *Christa Schlüter-Zeitz (Ltg.)*
Roswitha Lange

Kapitel-Doppelseiten: *Christiane Pries, Borgholzhausen*

Innenfotos: *Christiane Pries, Borgholzhausen*
Thomas Diercks, Hamburg
Herbert Maass, Hamburg
Arnold Zabert, Hamburg

Manuskript: *Wolfgang Helmentag, Bielefeld*

Satz: *Hanke + Pettke, Bielefeld*

Reproduktionen: *Pörtner + Saletzki, Bielefeld*

Druck: *Arti Grafiche V. Bona s.r.l. - Torino*

Nachdruck, auch auszugsweise, nur mit unserer ausdrücklichen Genehmigung und mit Quellenangabe gestattet.

Printed in Italy

ISBN 3-88199-654-0

Rezepte aus deutschen Landen

Über 130 Rezepte, über 75 Farbfotos

Typische Gerichte von der Küste bis zu den Alpen

Welchen Charme hatte doch
Großmutters Speisekammer: selbstgebackenes
Brot, hausgemachte Wurst und all die Zutaten für
die bäuerlich-rustikale Küche wurden darin aufbewahrt.
Die Speisekammern sind selten geworden, die Gerichte
der damaligen Zeit haben jedoch nichts von ihrem Flair
eingebüßt und die Zahl ihrer Liebhaber wächst von
Jahr zu Jahr. Grund genug für uns, ein Buch für sie zu
schreiben, das traditionelle und für die einzelnen
Regionen typische Gerichte enthält, damit Sie in vollen
Zügen in lukullischen Erinnerungen schwelgen können —
wie zu Großmutters Zeiten.

Die norddeutsche Küche – von der Waterkant zum Binnenland

Seite 12–35

Haben Sie schon einmal Heidschnuckenbraten probiert? Bei den Heide-Bauern hat dieses Gericht Tradition. Salbei und Thymian geben die besondere Würze. Das Rezept finden Sie auf Seite 24.

Die westdeutsche Küche – Gutes von Rhein und Ruhr

Seite 36–51

Inhaltsübersicht

Die mitteldeutsche Küche – das essen die Hessen
Seite 54–71

Rheinischer Sauerbraten ist über die Landesgrenzen hinaus bekannt. Es gibt zahlreiche Abwandlungen.

Aber Honigkuchen und Rosinen gehören immer dazu. Unser Rezept steht auf Seite 46

Die Pfälzer Küche – den Winzern in den Topf geschaut

Seite 72–79

Linsensuppe aus der Pfalz ist kein gewöhnlicher Eintopf. Denn die Winzer haben hier mit Rotwein gekocht. Sie soll- *ten diese raffinierte Variante einmal probieren. Das Rezept finden Sie auf Seite 74.*

Die südwestdeutsche Küche –
Schlemmereien aus
Schwaben und Baden   *Seite 80–91*

Ländliche Küche einmal ganz anders. Die zarten Bachforellen auf Seite 82 überzeugen auch verwöhnte Gaumen. Den besonderen Pfiff gibt die Soße mit Rosmarin. Servieren Sie dazu einen Weißwein.

Die bayerische Küche – vom Frankenland bis zum Allgäu

Seite 93–111

Wer Bayern kennt, liebt sicher knusprig gebratene Schweinshaxen. Unser Tip: Versuchen Sie einmal Kalbs-haxe mit Kraut und Knödeln. Die Rezepte finden Sie auf der Seite 98.

Die ostdeutsche Küche – Traditionelles von Berlin bis Ostdeutschland
Seite 112–139

Ihren Ursprung haben die Königsberger Klopse natürlich in Ostpreußen. Doch wem ist ihr zarter Geschmack nicht vertraut? Wie sie perfekt zubereitet werden, steht auf Seite 122.

Die norddeutsche Küche –
von der Waterkant zum Binnenland

Friesische Buttermilchsuppe

1 Scheibe Fladen- oder Schwarzbrot	in kleine Würfel schneiden
1 Eßl. Butter oder Margarine	zerlassen, das Brot darin leicht anrösten, warm stellen
1 Zwiebel	abziehen
50 g durchwachsenen Speck	
	die beiden Zutaten fein würfeln
1 Eßl. Schweineschmalz	zerlassen, Zwiebel- und Speckwürfel darin anbraten, warm stellen
1 l Buttermilch	mit
1 gehäuften Eßl. Weizenmehl	verrühren, unter Rühren zum Kochen bringen, kurz aufkochen, mit
Salz frisch gemahlenem Pfeffer	abschmecken, auf vier Suppentassen verteilen, auf jede Portion jeweils einige Brot-, Zwiebel- und Speckwürfel geben
Kochzeit:	Etwa 1 Minute.
Beigabe:	Weißbrot.

Hamburger Aalsuppe (Foto)

2 Bund Suppengrün (Möhren, Porree, Sellerie)	putzen, waschen
50 g durchwachsener Speck	
	die beiden Zutaten in kleine Würfel schneiden
Butter	zerlassen, die Speckwürfel darin glasig dünsten
	das Suppengrün dazugeben, etwa 5 Minuten unter Rühren mitdünsten lassen
1 1/4 l Wasser	hinzugießen, zum Kochen bringen, in etwa 20 Minuten gar kochen lassen, die Brühe mit dem Suppengrün und dem Speck durch ein Sieb streichen, 1 l davon abmessen, warm stellen
500 g küchenfertigen, enthäuteten Flußaal	unter fließendem kalten Wasser abspülen, trockentupfen, entgräten, in etwa 4 cm große Stücke schneiden
30 g Butter	zerlassen
40 g Weizenmehl	unter Rühren so lange darin erhitzen, bis es hellgelb ist die Gemüsebrühe hinzugießen, mit einem Schneebesen durchschlagen, darauf achten, daß keine Klumpen entstehen, zum Kochen bringen
2 Eßl. saure Sahne	
1 Teel. gehackten Dill	unterrühren, die Suppe mit
Salz, Pfeffer	
Essig	abschmecken, die Fischstücke hineingeben, zum Kochen bringen, in etwa 10 Minuten gar ziehen lassen, mit
gehackter Petersilie	bestreuen
Kochzeit:	Etwa 35 Minuten.
Beigabe:	Schwarzbrot oder Toast.

Bücklings-Pfannkuchen

250 g Weizen-mehl	in eine Schüssel sieben, in die Mitte eine Vertiefung eindrücken
3 Eier **Salz** **500 ml (¹/₂ l) Milch**	mit verschlagen, etwas davon in die Vertiefung geben, von der Mitte aus Eiermilch und Mehl verrühren, nach und nach die übrige Eiermilch dazugeben, darauf achten, daß keine Klumpen entstehen
4 Bücklinge	enthäuten, entgräten, das Fischfleisch zerpflücken
Speiseöl	in einer Stielpfanne erhitzen, eine dünne Teiglage hineingeben, darauf einige Bücklingsstücke geben, den Pfannkuchen von beiden Seiten goldgelb backen bevor der Eierkuchen gewendet wird, etwas Speiseöl in die Pfanne geben die übrigen Bücklings-Pfannkuchen auf die gleiche Weise bereiten.
Beigabe:	Grüner Salat mit Sahnesoße.

Sylter Matjessalat

4 Matjes-filets	1–2 Stunden wässern, gut abtropfen lassen, in kleine Stücke schneiden
250 g eingelegte Rote Bete (aus dem Glas)	abtropfen lassen
1 mittelgroßen Apfel	schälen, vierteln, entkernen
1 kleine Zwiebel	abziehen
100 g Fleischwurst	enthäuten
2 kleine Gewürzgurken	
	die fünf Zutaten in kleine

	Würfel schneiden
2 gehäufte Eßl. Mayonnaise **4 Eßl. Sahne** **1–2 Eßl. Himbeersaft**	mit verrühren, mit den Salatzutaten vermengen, mit
Salz frisch gemahlenem Pfeffer	abschmecken.
Beigabe:	Weißbrot und Toast.

Rote Bete-Salat (Foto)

2 Knollen gekochte Rote Bete	abziehen
2 Äpfel	schälen, halbieren, entkernen
4 Pellkartoffeln	pellen
2 Gewürzgurken	
5 Matjesfilets	
	die fünf Zutaten in Würfel schneiden
1 Packung (200 g) Speisequark **1 Becher (150 g) saurer Sahne**	mit verrühren, mit
Salz frisch gemahlenem Pfeffer Meerrettich (aus dem Glas)	würzen, mit den Salatzutaten vermengen eine Salatschüssel mit
gewaschenen Salatblättern	auslegen, den Rote Bete-Salat darauf anrichten
1 hartgekochtes Ei	pellen, in Scheiben schneiden, den Salat damit garnieren.
Beigabe:	Pellkartoffeln oder Graubrot.

Matjes-Topf

6 Matjes-filets   evtl. einige Zeit wässern, trockentupfen, in mundgerechte Stücke schneiden

1 rote Zwiebel   abziehen, in Scheiben schneiden, in Ringe teilen

2 Äpfel   schälen, vierteln, entkernen, in kleine Scheiben schneiden

125 ml (¹/₈ l) Schlagsahne   steif schlagen

200 g Speisequark   gut verrühren, die steifge-schlagene Sahne unterheben, mit Matjesstückchen, Zwiebelringen und Apfelscheiben vorsichtig vermengen, mit

Salz, Pfeffer Zitronensaft   würzen, einige Zeit kühl stellen, mit

Dill   garniert servieren.

Beigabe: Pellkartoffeln.

Speckschollen (Foto)

4 küchen-fertige Schollen   unter fließendem kalten Wasser abspülen, trockentupfen, mit

Zitronensaft   beträufeln, 30 Minuten stehen-lassen, trockentupfen, mit

Salz, Pfeffer Weizenmehl   bestreuen, in wenden

Speiseöl   in einer großen Pfanne erhitzen

etwa 100 g mageren, durchwach-senen Speck   in Würfel schneiden, darin aus-braten, die Speckwürfel heraus-nehmen, warm stellen, die Schollen in dem Speckfett von beiden Seiten braun braten, auf einer vorgewärmten Platte an-richten, die Speckwürfel da-rüber geben die Schollen mit

Zitronen-achteln   garnieren

Bratzeit: Etwa 15 Minuten.

Salzheringe Harzer Art (Foto)

4 Salzheringe	etwa 24 Stunden wässern, das Wasser ab und zu erneuern die Heringe ausnehmen, unter fließendem kalten Wasser abspülen, nach Belieben enthäuten, entgräten
	für die Sahne-Soße
4—5 Zwiebeln	abziehen
2 mittelgroße Gewürzgurken	
	beide Zutaten in Scheiben schneiden
375 ml (³/₈ l) Sahne	mit
4 Eßl. Essig einigen Senfkörnern einigen Pfefferkörnern	verrühren, Gurken- und Zwiebelscheiben hinzufügen die Heringe in die Sahne-Soße legen, etwa 24 Stunden darin ziehen lassen
750 g Kartoffeln	waschen, in
2 l Salzwasser	geben, zum Kochen bringen, gar kochen lassen, die Kartoffeln abgießen, noch heiß pellen, in einer vorgewärmten Schüssel anrichten, warm stellen
3 mittelgroße Zwiebeln	abziehen, in Scheiben schneiden
75 g fetten Speck	in kleine Würfel schneiden, auslassen, die Zwiebelscheiben in dem Speck bräunen lassen die Sahneheringe mit
Tomatenachteln Petersilie	garnieren Pellkartoffeln und Speck-Zwiebeln dazureichen
Kochzeit:	25—30 Minuten.

Emder Matjes

8 Matjesfilets	1—2 Stunden wässern, gut abtropfen lassen
	für die Pellkartoffeln
750 g möglichst kleine Kartoffeln	waschen, in
2 l Salzwasser	geben
Kümmel	hinzufügen, zum Kochen bringen, gar kochen lassen, die Kartoffeln abgießen, noch heiß pellen, in einer vorgewärmten Schüssel anrichten, mit
feingehackter Petersilie	bestreuen, warm stellen
	für die Bohnen
1 Eßl. Butter oder Margarine	zerlassen
125 ml (¹/₈ l) heiße Fleischbrühe	hinzugießen, mit
Salz Pfeffer	würzen
Bohnenkraut	hinzufügen
750 g Grüne Bohnen (vorbereitet gewogen)	waschen, hinzufügen, zum Kochen bringen, gar dünsten lassen, nach Belieben mit Salz, Pfeffer abschmecken, in einer vorgewärmten Schüssel anrichten
150 g durchwachsenen Speck	in Würfel schneiden, auslassen, über die Bohnen geben, warm stellen die Matjesfilets mit
125 g Zwiebelringen	auf einer Platte anrichten, die Pellkartoffeln und Bohnen dazureichen
Kochzeit für die Kartoffeln:	25—30 Minuten
Dünstzeit für die Bohnen:	Etwa 15 Minuten.

Grünkohl Bremer Art

	Von
1¹/₂ kg Grünkohl	die welken und fleckigen Blätter und die Rippen entfernen, den Grünkohl gründlich waschen, in
kochendes Salzwasser	geben, zum Kochen bringen, 1–2 Minuten kochen, abtropfen lassen, grob hacken
2 mittelgroße Zwiebeln	abziehen, würfeln
100 g Schweineschmalz	erhitzen, die Zwiebelwürfel darin glasig dünsten lassen, den Grünkohl hinzufügen
2 Eßl. Haferflocken	unterrühren, erhitzen
500–700 g Kasseler Rippenspeer	waschen, den Knochen auslösen, das Fleisch mit dem Knochen zu dem Grünkohl geben
250 g durchwachsenen Speck	
375 ml (³/₈ l) Wasser	hinzufügen, mit
Salz	würzen, zum Kochen bringen, etwa 30 Minuten kochen lassen
4 geräucherte Grützwürste (Pinkel)	zu dem Grünkohl geben, etwa 20 Minuten mitkochen lassen den Grünkohl mit Salz,
Pfeffer geriebener Muskatnuß Zucker	abschmecken das Fleisch und den Speck in Scheiben schneiden, mit den Würsten und dem Grünkohl auf einer großen Platte anrichten.
Beilage:	Süße Röstkartoffeln.

Heidschnuckenbraten (Foto)

1¹/₂—2 kg Heid-schnucken-oder Lamm-keule (ohne Knochen)	*unter fließendem kalten Wasser abspülen, trockentupfen*
1—2 Knob-lauchzehen	*abziehen, mit*
Salz	*zerdrücken*
	die Heidschnuckenkeule (Lamm-keule) mit dem Knoblauchmus, Salz,
Pfeffer	*innen und außen einreiben, mit Küchengarn zusammenbinden für die Salbei-Milch*
1 l Milch	*zum Kochen bringen, kurz auf-kochen, etwas erkalten lassen, lauwarm mit*
1 Eßl. ge-rebeltem Salbei oder 1—2 Eßl. fein-gehackten Salbei-blättchen abgeriebener Schale von ¹/₂ Zitrone (unbehandelt) geriebener Muskatnuß	*verrühren, das Fleisch hinein-legen, 24 Stunden darin ziehen lassen, ab und zu wenden*
	das Fleisch aus der Marinade nehmen, trockentupfen, die Marinade durch ein Sieb gießen, mit
abgeriebener Schale von ¹/₂ Zitrone (unbehandelt) 1 Teel. ge-rebeltem Thymian	*verrühren*
250 g Schafs-käse	*zerbröckeln, mit*
125 ml (¹/₈ l) Sahne	*glattrühren, mit der Salbei-Milch gut verrühren*

das Fleisch in einen gefetteten Bratentopf legen, die Marinade darüber gießen, das Fleisch mit

Butter-flöckchen	*belegen, den Topf auf dem Rost in den vorgeheizten Backofen stellen, etwa 10 Minuten bei starker, dann bei milder Hitze-zufuhr schmoren lassen*

während des Bratens das Fleisch ab und zu mit der Marinade be-gießen

die gare Heidschnuckenkeule (Lammkeule) aus der Schmor-flüssigkeit nehmen, warm stellen

die Flüssigkeit durch ein Sieb gießen, auf der Kochstelle zum Kochen bringen, etwas ein-kochen lassen, kräftig mit Salz, Pfeffer abschmecken

die Keule in Scheiben schneiden, auf einer vorgewärmten Platte anrichten, die Soße dazureichen

Strom:	*Etwa 10 Minuten 250 Etwa 1¹/₄ Stunden 180*
Gas:	*Etwa 10 Minuten 4—5 1¹/₄ Stunden 3—4*
Schmorzeit:	*Etwa 1¹/₂ Stunden.*

Schweineschnitzel Holsteiner Art (Foto)

4 Schweine-schnitzel (je etwa 150 g) **Salz, Pfeffer**	*leicht flachklopfen, mit bestreuen die Schnitzel zunächst in*
1 gestrichenen Eßl. Weizen-mehl	*dann in*
1 verschla-genem Ei	*zuletzt in*
50 g Semmel-mehl	*wenden*
50–60 g Butterschmalz	*erhitzen, die Schnitzel von beiden Seiten darin braten, auf einer vorgewärmten Platte anrichten, warm stellen*
Butterschmalz	*zerlassen*
4 Eier	*aufschlagen, nebeneinander in das Fett gleiten lassen, so lange erhitzen, bis die Eier fest sind auf jedes Schnitzel ein fertiges Spiegelei setzen von*

4 gewässerten Sardellen-filets	*je eines um jedes Eigelb legen, mit*
Paprika edelsüß	*bestreuen, mit*
Mixed pickles **Petersilie**	*garnieren*
Bratzeit für die Schnitzel:	*Etwa 10 Minuten.*
Beilage:	*Petersilienkartoffeln, Grüner Salat oder Kartoffelsalat.*

Labskaus

600 g ge-pökeltes schieres Rindfleisch **500 ml (1/2 l) kochendes Wasser**	*in* *geben, zum Kochen bringen, gar*
	kochen lassen, von der Brühe 375 ml (3/8 l) abmessen
5 Zwiebeln	*abziehen beide Zutaten grob zerkleinern, durch den Fleischwolf drehen*
75 g Margarine	*zerlassen, die Fleisch-Zwiebel-Masse unter Rühren 5 Minuten darin erhitzen*
1 kg gekochte Kartoffeln	*noch heiß durch eine Kartoffel-presse geben, mit*
6 Eßl. Flüssigkeit von einge-legten Essig-gurken **375 ml (3/8 l) Rindfleisch-brühe**	*unter die Fleischmasse rühren, unter Rühren durchkochen lassen, das Gericht mit*
Salz **Pfeffer** **geriebener Muskatnuß**	*abschmecken*
Kochzeit:	*Etwa 1 1/2–2 Stunden.*
Beigabe:	*Spiegeleier, Essiggurken, Rote Bete.*

Flensburger Sauerfleisch

1 kg ausge-lösten Schweine-nacken oder Schweine-bauch	unter fließendem kalten Wasser abspülen
1 Möhre 1 Stange Porree	die beiden Zutaten putzen, waschen, grob zerkleinern
1 Teel. Pfefferkörner 1¹/₂ l Salzwasser	in geben, zum Kochen bringen, das Fleisch hineingeben, zum Kochen bringen, bei mittlerer Hitze-zufuhr gar kochen lassen, her-ausnehmen, erkalten lassen die Brühe durch ein Sieb gießen, entfetten, 1 l davon abmessen, in einen Topf geben
250 ml (¹/₄ l) Weißwein-Essig 50 g Zucker	hinzufügen, zum Kochen bringen, von der Kochstelle nehmen
15 Blatt Gelatine, weiß kaltem Wasser	in einweichen, 2 Minuten zum Quellen stehenlassen, gut aus-drücken, in die Brühe geben, so lange rühren, bis sie gelöst ist das Fleisch in Scheiben schnei-den, auf 4 tiefe Teller ver-teilen, mit der Aspikbrühe über-gießen, im Kühlschrank er-starren lassen vor dem Servieren die Teller kurz in heißes Wasser halten, die Sülze mit einem Messer vor-sichtig vom Rand des Teller lösen, auf mit
Salatblättern Petersilien-sträußchen	belegte Teller stürzen, mit garniert servieren
Kochzeit:	60–70 Minuten.
Beigabe:	Bratkartoffeln.

Friesisches Pökelfleisch (Foto)

1 kg gepökelte Ochsenbrust	unter fließendem kalten Wasser abspülen, in
1³/₄ l kochendes Salzwasser	geben, zum Kochen bringen, ab-schäumen
1 Zwiebel 1 Nelke 1 Lorbeerblatt	abziehen, mit spicken
1 Petersilien-wurzel	putzen, schrappen, waschen
2 Wacholder-beeren einige weiße Pfefferkörner	die 5 Zutaten zu dem Fleisch geben, das Fleisch zum Kochen bringen
1 Möhre	putzen, schrappen, waschen
1 Stange Porree	putzen, waschen
1 Sellerie-knolle	schälen, waschen das Gemüse kleinschneiden, nach etwa 1 Stunde Kochzeit hin-zufügen das Fleisch gar kochen lassen das Fleisch aus der Brühe nehmen, etwa 10 Minuten stehen-lassen, in etwa 1¹/₂ cm dicke Schei-ben schneiden, auf einer vor-gewärmten Platte anrichten, mit etwas von der Brühe übergießen für die Meerrettich-Sahne
125 ml (¹/₈ l) Sahne	fast steif schlagen
4–5 Eßl. ge-riebenen Meerrettich (aus dem Glas) Zitronensaft	unterrühren, mit
Salz, Pfeffer	abschmecken, zu dem Fleisch reichen
Kochzeit:	Etwa 2 Stunden.
Beilage:	Preiselbeeren, Apfelmus, Salz-kartoffeln.
Tip:	Die restliche Fleischbrühe nach Belieben als Vorsuppe reichen.

Vierländer Mastente

	Für die Füllung
125 g ent-steinte Back-pflaumen	in
250 ml (¹/₄ l) Rotwein	etwa 1 Stunde einweichen
2 mürbe Äpfel	waschen, vierteln, entkernen (nicht schälen) die Backpflaumen aus dem Rot-wein nehmen, mit den Äpfel-vierteln mischen den Rotwein aufbewahren
1 küchen-fertige Ente (etwa 2 kg)	unter fließendem kalten Wasser abspülen, trockentupfen, innen mit
Salz Pfeffer gerebeltem Thymian	einreiben die Füllung in die Ente geben, die Ente mit Küchengarn zunähen oder mit Holzstäbchen zustecken mit dem Rücken nach unten auf den Rost auf eine mit kaltem Wasser ausgespülte Rostbrat-pfanne legen, auf der unteren Schiene in den Backofen schieben
2 Zwiebeln	abziehen, vierteln, zu der Ente geben während des Bratens ab und zu unterhalb der Flügel und Keulen in die Ente stechen, damit das Fett besser ausbraten kann nach 30 Minuten Bratzeit das sich angesammelte Fett ab-schöpfen sobald der Bratensatz bräunt, etwas von dem zurückgelassenen Rotwein und etwas
heißes Wasser	hinzugießen, die Ente ab und zu mit dem Bratensatz begießen, verdampfte Flüssigkeit nach und nach ersetzen
500 g gleich große Pell-kartoffeln	noch heiß pellen

etwa 15 Minuten vor Beendigung der Bratzeit die Kartoffeln zu der Ente geben, mitbraten lassen die gare Ente vom Küchengarn (Holzstäbchen) befreien, mit den Kartoffeln und Zwiebel-

Rotwein | *vierteln auf einer vorgewärmten Platte anrichten, warm stellen den Bratensatz mit Wasser oder loskochen, durch ein Sieb gießen, zum Kochen bringen, etwas einkochen lassen*

3 Eßl. Schmand | *unterrühren die Soße mit Salz, Pfeffer, Thymian abschmecken*
Strom: 200—225, **Gas:** 3—4
Bratzeit: 1³/₄ Stunden.

Süße Röstkartoffeln

1 kg kleine Kartoffeln Wasser	waschen, in so viel geben, daß die Kartoffeln bedeckt sind, zum Kochen bringen, in etwa 20 Minuten gar kochen lassen, abgießen, abdämpfen, noch heiß pellen
50 g Butter	zerlassen
2 Eßl. Zucker	hinzufügen, unter ständigem Rühren karamelisieren (hellbraun rösten) lassen, die Kartoffeln hineingeben, unter häufigem Schütteln darin rundherum knusprig braun braten lassen
Bratzeit:	Etwa 10 Minuten.
Beilage:	Braunkohl.

Bauernfrühstück (Foto)

750 g Salatkartoffeln	waschen, in Wasser zum Kochen bringen, gar kochen lassen, abgießen, heiß pellen, erkalten lassen, in Scheiben schneiden
4 Zwiebeln	abziehen, würfeln
75 g durchwachsenen Speck	in Würfel schneiden, auslassen
30 g Margarine	hinzufügen, zerlassen, die Zwiebeln darin glasig dünsten, die Kartoffeln darin braun braten
3 Eier	mit
3 Eßl. Milch Salz, Pfeffer Paprika geriebener Muskatnuß	verschlagen
125 g Schinkenspeck	in Würfel schneiden
2 Eßl. feingeschnittener Schnittlauch	die Zutaten zu der Eiermilch geben, über die Kartoffeln gießen, stocken lassen, evtl. einmal wenden
Kochzeit:	20–25 Minuten
Bratzeit:	Etwa 10 Minuten.

Welfenspeise

Für die Creme

30 g Speisestärke	
50 g Zucker	
1 Päckchen Vanille-Zucker	mit 6 Eßl. von
500 ml (¹/₂ l) kalter Milch	anrühren, die übrige Milch zum Kochen bringen, von der Kochstelle nehmen, die Speisestärke unter Rühren hineingeben, kurz aufkochen lassen
2 Eiweiß	steif schlagen, unterheben die Speise in eine Glasschale füllen (darf nur halb gefüllt sein)

für die Weinschaumsoße

1 Ei	mit
2 Eigelb	
1 gestrichenen Eßl. Speisestärke	
50 g Zucker	
250 ml (¹/₄ l) Weiß- oder Apfelwein	
abgeriebener Schale von ¹/₂ Zitrone (unbehandelt)	
1 Eßl. Zitronensaft	in einen kleinen Kochtopf geben, gut verschlagen, im Wasserbad oder auf der Automatikplatte so lange mit einem Schneebesen durchschlagen, bis eine dicke Kochblase aufsteigt (nicht kochen lassen)
Erhitzungszeit:	Etwa 20 Minuten die erkaltete Weinschaumsoße auf die weiße Creme füllen, die Speise am Rand mit
Schokoladenstreuseln	garnieren, nach Belieben mit
Schlagsahne	verzieren.

Rote Grütze mit Vanillesahne (Foto)

1¹/₄ kg Erdbeeren	vorsichtig waschen, gut abtropfen lassen, entstielen, ¹/₄ der Früchte beiseite stellen die übrigen Früchte mit
1 l Wasser	in einen Kochtopf geben, zum Kochen bringen, auf ein gespanntes Tuch geben, damit der Saft ablaufen kann den Fruchtbrei nach dem Erkalten kräftig auspressen, den Saft mit Wasser auf 1¹/₄ l Flüssigkeit auffüllen, mit
3—4 Stück Zitronenschale (unbehandelt)	
150 g Zucker	zum Kochen bringen
etwa 120 g Perl-Sago	unter Rühren einstreuen, zum Kochen bringen, in etwa 20 Minuten ausquellen lassen die Zitronenschale entfernen die zurückgelassenen Erdbeeren hinzufügen die Grütze zum Kochen bringen, 1—2 Minuten kochen lassen evtl. mit
Zucker	abschmecken, in eine Glasschüssel füllen, erkalten lassen

für die Vanillesahne

250 ml (¹/₄ l) Sahne	mit
Vanille-Zucker	abschmecken oder die Sahne mit dem ausgekratzten Mark von
¹/₂ Vanillestange	verrühren, mit
Zucker	abschmecken, getrennt zu der Roten Grütze reichen.
Veränderung:	Gemischte Beerenfrüchte (z.B. Himbeeren, Brombeeren, Stachelbeeren, Johannisbeeren und Erdbeeren) und Sauerkirschen verwenden.

Hannoverscher Butterkuchen
(Foto)

1 Päckchen Hefe (42 g)	zerbröckeln, mit
75 g Zucker	
1 Päckchen Vanille-Zucker	
Salz	und 10 Eßl. von
250 ml (¹/₄ l) lauwarmer Milch	anrühren
500 g Weizenmehl	in eine Rührschüssel sieben, in die Mitte eine Vertiefung eindrücken, die aufgelöste Hefe hineingeben, sie etwa ¹/₂ cm dick mit
Weizenmehl	bestreuen
75 g zerlassene, lauwarme Butter	an den Rand des Mehls geben sobald das auf die Hefe gestreute Mehl stark rissig wird, von der Mitte aus die Hefe mit dem Mehl und den übrigen Zutaten mit dem elektrischen Handrührgerät mit Knethaken zuerst auf der niedrigsten, dann auf der höchsten Stufe in etwa 5 Minuten zu einem Teig verarbeiten den Teig an einem warmen Ort so lange stehenlassen, bis er etwa doppelt so hoch ist, ihn dann gut durchkneten den Teig auf einem gefetteten Backblech ausrollen, vor dem Teig einen mehrfach umgeknickten Streifen Alufolie legen
	für den Belag
100–125 g Butter	in Flöckchen auf den Teig setzen
100 g Zucker	
75 g abgezogene, gehobelte Mandeln	
	beide Zutaten gleichmäßig da-

rüber streichen, den Teig nochmals an einem warmen Ort so lange stehen lassen, bis er etwa doppelt so hoch ist, ihn erst dann in den Backofen schieben

Strom:	200–225
Gas:	4–5
Backzeit:	Etwa 15 Minuten.

Friesische Eiserkuchen

200 g Zucker	
1 Päckchen Vanille-Zucker	in
250 ml (¹/₄ l) kochendem Wasser	auflösen, abkühlen lassen
200 g gesiebtes Weizenmehl	eßlöffelweise unterrühren
2 Eier	unterrühren
100 g weiche Butter	
¹/₂ gestrichenen Teel. gemahlenen Zimt	unterrühren den Teig in nicht zu großer Menge in ein gut erhitztes, gefettetes Eiserkucheneisen füllen, von beiden Seiten goldbraun backen die Blättchen schnell aus dem Eisen lösen, noch heiß zu Röllchen oder Tüten wickeln damit die Eiserkuchen knusprig bleiben, sie in gut schliessenden Blechdosen aufbewahren die Eiserkuchen nach Belieben mit
steifgeschlagener Schlagsahne	füllen, die Röllchen nach Belieben mit
Schokoladenguß	verzieren.
Tip:	Die Eiserkuchen mit gezuckerten roten Johannisbeeren füllen.

35

Die westdeutsche Küche —
Gutes von Rhein und Ruhr

Niederrheinische Erbsensuppe

375 g Erbsen	waschen, in
2 l Wasser	12–24 Stunden einweichen
375 g Schweine-nacken	unter fließendem kalten Wasser abspülen Erbsen und Schweinenacken in dem Einweichwasser zum Kochen bringen, fast weich kochen lassen, das Fleisch herausnehmen, in Würfel schneiden
500 g Kartoffeln	schälen, waschen, in Würfel schneiden, in die Suppe geben
1 Möhre	putzen, schrappen
1 Stange Porree	putzen
1 Stück Sellerie	schälen die drei Zutaten waschen, klein-schneiden, mit
500 ml ($^1/_2$ l) Instant-Fleischbrühe	zu den Erbsen geben, zum Kochen bringen, gar kochen lassen die Suppe mit
Salz Pfeffer gerebeltem Majoran	abschmecken die Fleischwürfel wieder in die Suppe geben, miterhitzen
2 mittelgroße Zwiebeln	abziehen, würfeln
75 g durch-wachsenen Speck	in kleine Würfel schneiden, auslassen, die Zwiebel darin goldgelb andünsten, in die Suppe geben
Kochzeit:	Etwa 2 Stunden.

Blauer Heinrich

500 g Rind-fleisch	in
1$^1/_2$ l Salz-wasser	geben, zum Kochen bringen, ab-schäumen, in etwa 1$^1/_2$ Stunden gar kochen lassen das Fleisch aus der Brühe nehmen, in Würfel schneiden, beiseite stellen
200 g Graupen	mit
kochendem Wasser	übergießen, abtropfen lassen
500 g Kartoffeln	schälen, waschen, in Würfel schneiden
1 Kohlrabi	schälen, halbieren
2 Stangen Porree	putzen das Gemüse waschen, in Scheiben schneiden
1 Stück Sellerieknolle	schälen, waschen, in Stifte schneiden
1 Stengel Liebstöckel **$^1/_2$ Bund Petersilie**	die Kräuter abspülen, mit den Graupen, den Kartoffeln, dem Gemüse in die Rindfleischsuppe geben, zum Kochen bringen, mit
Salz, Pfeffer	würzen, evtl.
1 Eßl. Suppenwürze	unterrühren die Graupensuppe in etwa 2 Stunden gar kochen lassen, da-bei häufig umrühren kurz vor Beendigung der Garzeit die Fleischwürfel hinzufügen Liebstöckel und Petersilie aus der garen Suppe nehmen nach Belieben
125 ml ($^1/_8$ l) Sahne	unterrühren
2 Eßl. ge-hackte Petersilie	darüber geben
Garzeit:	Etwa 3$^1/_2$ Stunden.

Stielmus

375 g Schweine- fleisch	unter fließendem kalten Wasser abspülen, trockentupfen, in kleine Würfel schneiden
40 g Margarine	zerlassen, das Fleisch schwach darin bräunen, mit
Salz, Pfeffer	würzen
1 kg Streif- rüben	putzen, die welken Blätter entfernen, waschen, klein- schneiden
750 g Kartoffeln	schälen, waschen, in Würfel schneiden Streifrüben und Kartoffeln mit
250 ml (¹/₄ l) Wasser	zu dem Fleisch geben, zum Kochen bringen, gar schmoren
Schmorzeit:	Etwa 1³/₄ Stunden.

Jägerkohl

	Von
1 kg Weißkohl	die groben äußeren Blätter ab- lösen, den Kohl vierteln, den Strunk herausschneiden, den Kohl waschen, fein schneiden
350 g durch- wachsenen Speck	in feine Würfel schneiden, in einem Topf auslassen
3 Zwiebeln	abziehen, würfeln, in dem Speck- fett hellbraun braten lassen
3 Eßl. Weizen- mehl	unter Rühren so lange darin er- hitzen, bis es hellbraun ist
125 ml (¹/₈ l) Weißwein 250 ml (¹/₄ l) Fleischbrühe	hinzugießen, mit einem Schnee- besen durchschlagen, darauf achten, daß keine Klumpen ent- stehen, zum Kochen bringen, den Weißkohl hinzufügen, in etwa 30 Minuten gar dünsten lassen, ab und zu umrühren
Garzeit:	40—45 Minuten.

Dicke Bohnen mit Speck

750 g ausge- pahlte Große Bohnen (2¹/₂ —3 kg mit Hülsen) 1 Stengel Bohnenkraut	beide Zutaten waschen
100 g Speck 2—3 Zwiebeln	in Würfel schneiden, auslassen abziehen, halbieren, in Scheiben schneiden, in dem Speck gold- gelb dünsten lassen die Bohnen hinzufügen, mit- dünsten lassen, Bohnenkraut,
gut 125 ml (¹/₈ l) Wasser Salz	dazugeben, gar dünsten lassen, mit
1 Eßl. feinge- schnittenem Schnittlauch	bestreuen
Dünstzeit:	Etwa 40 Minuten.
Beilage:	Durchwachsener Speck in Schei- ben geschnitten und braun ge- braten.

Muscheln, rheinische Art

1 1/2 kg Mies-muscheln	in reichlich kaltes Wasser geben, einige Stunden darin liegen lassen, das Wasser ab und zu erneuern
	die Muscheln anschließend gründlich bürsten, Bartbüschel entfernen, die Muscheln so lange abspülen, bis das Wasser vollkommen klar bleibt
	Muscheln, die sich beim Wässern und anschließendem Bürsten öffnen, sind ungenießbar, nur Muscheln, die geschlossen bleiben, sind verwendbar
250 g Zwiebeln	abziehen, halbieren, in Scheiben schneiden
50 g Butter oder Margarine	zerlassen, die Zwiebeln darin andünsten
1 Bund Suppengrün	putzen, waschen, in kleine Würfel schneiden
1 Eßl. ge-hackte Petersilie 2 Lorbeer-blätter	die drei Zutaten zu den Zwiebeln geben
375 ml (3/8 l) trockenen Weißwein	hinzugießen, zum Kochen bringen, durchdünsten lassen, mit würzen
Salz 20 Pfeffer-körner	dazugeben, die Muscheln hineingeben, unter Rühren so lange erhitzen, bis sie sich öffnen (Muscheln, die sich nach dem Garen nicht öffnen, sind ungenießbar)
	die Muscheln in einer vorgewärmten Schüssel anrichten den Muschelsud mit Salz, Pfeffer abschmecken, zu den Muscheln reichen.
Beigabe:	Schwarzbrot oder Weißbrot mit Butter.

Kürbis-Reibekuchen

500 g Kartoffeln	schälen, waschen
500 g Kürbis	schälen, die Kerne mit einem Löffel auskratzen beide Zutaten reiben, mit
Salz **2 Eiern** **30 g Weizenmehl**	verrühren etwas von
125 ml (¹/₈ l) Speiseöl	erhitzen, den Teig eßlöffelweise hineingeben, flach drücken, von beiden Seiten braun und knusprig backen.
Beigabe:	Apfelmus, Bohnensalat.

Kartoffel-Püfferchen (Foto)

500 g Weizenmehl	in eine Schüssel sieben, mit
1 Päckchen Trocken-Hefe	sorgfältig vermischen
1 kg Kartoffeln	schälen, waschen, fein reiben, mit
3 Eiern **Salz** **125 ml (¹/₈ l) lauwarmer Milch**	zu dem Mehl geben, alles mit einem Handrührgerät mit Rührbesen zuerst auf niedrigster, dann auf höchster Stufe zu einem Teig verarbeiten den Teig an einem warmen Ort so lange stehenlassen, bis er etwa doppelt so hoch ist, ihn dann auf der höchsten Stufe gut durchschlagen
250 g Rosinen	verlesen, zuletzt unter den Teig heben etwas von
200 g Butter	in einer Bratpfanne erhitzen, den Teig eßlöffelweise hineingeben, etwas flach drücken, von beiden Seiten goldbraun backen.
Beigabe:	Butter, Sirup, Kaffee.

Pfeffer-Potthast

750 g Rind-fleisch	unter fließendem kalten Wasser abspülen, trockentupfen, in Würfel schneiden, mit
1 Lorbeerblatt 10 Pfeffer-körnern 2 Gewürz-nelken 1 Eßl. Kapern 500 ml (¹/₂ l) kochendes Salzwasser	in geben, zum Kochen bringen, das Fleisch kochen lassen
375 g Zwiebeln	abziehen, in Scheiben schneiden, nach etwa 30 Minuten Koch-zeit zu dem Fleisch geben, zum Kochen bringen, das Fleisch gar kochen lassen
30 g Semmel-mehl	unterrühren, den Potthast mit
Salz, Pfeffer Zitronensaft	abschmecken
Kochzeit:	Etwa 1¹/₄ Stunden.
Beigabe:	Salzkartoffeln, Gewürzgurken.

Pannhas

3 Zwiebeln	abziehen, fein würfeln
100 g fetten Speck	in Würfel schneiden, auslassen, die Zwiebelwürfel darin an-dünsten
1¹/₂ l Wurst- oder Fleischbrühe	hinzugießen
750 g Leber-und/oder Blutwurst (ohne Haut)	hinzugeben die Brühe zum Kochen bringen, kurz aufkochen lassen, mit
Salz, Pfeffer ¹/₂ Teel. ge-mahlenen Nelken gerebeltem Majoran	abschmecken

500 g Buch-weizenmehl	unter ständigem Rühren hinzu-fügen, zum Kochen bringen, etwa 10 Minuten kochen, bei schwacher Hitzezufuhr in etwa 30 Minuten ausquellen lassen den Wursteig in Schüsseln füllen, glattstreichen, erkalten lassen, in Scheiben schneiden, von beiden Seiten in
erhitztem Pflanzenfett	bräunen lassen
Kochzeit:	Etwa 45 Minuten.

Geschmorte Schweinerippchen
(Foto)

Etwa 1 kg Schweine-rippchen (Schäl-rippchen)	unter fließendem kalten Wasser abspülen, trockentupfen, in Portionsstücke schneiden, mit
Salz grob ge-mahlenem Pfeffer gerebeltem Majoran	einreiben
2 Zwiebeln	abziehen, vierteln
Speiseöl	in einem Schmortopf erhitzen, Rippchen und Zwiebelviertel portionsweise von allen Seiten darin gut anbraten
2 Lorbeer-blätter 4 Piment-körnern	hinzufügen
250 ml (¹/₄ l) heißes Wasser 2−3 Eßl. Zitronensaft	hinzugießen, den Schmortopf zugedeckt auf dem Rost in den vorgeheizten Backofen schieben etwa 10 Minuten vor Beendigung der Garzeit das Fleisch ohne Deckel bräunen lassen
Strom:	200−225, **Gas:** 3−4
Schmorzeit:	55−60 Minuten.

Rheinischer Sauerbraten (Foto)

Etwa 1 kg Rindfleisch (aus der Keule) unter fließendem kalten Wasser abspülen, trockentupfen, in eine Schüssel legen

für die Marinade
1 Möhre putzen, schrappen
1 Stück Sellerie schälen
1 Petersilienwurzel putzen, schrappen
das Gemüse waschen, kleinschneiden
1 Zwiebel abziehen, grob zerkleinern
250 ml (¹/₄ l) Weinessig mit
500 ml (¹/₂ l) Wasser vermengen, das Gemüse hineingeben, zum Kochen bringen, einmal aufkochen lassen, über das Fleisch gießen (Fleisch muß bedeckt sein), zugedeckt 3–4 Tage an einem kühlen Ort stehenlassen, das Fleisch täglich wenden
das gesäuerte Fleisch trockentupfen, die Marinade durch ein Sieb gießen

40 g durchwachsenen Speck in kleine Würfel schneiden, auslassen, das Fleisch von allen Seiten gut darin anbraten
375 ml (³/₈ l) von der Marinade mit
Wasser auf 500 ml (¹/₂ l) auffüllen, etwas davon zu dem Fleisch gießen, das Fleisch schmoren lassen, von Zeit zu Zeit wenden, verdampfte Flüssigkeit nach und nach ersetzen
nach 1¹/₂ Stunden Schmorzeit

50 g verlesene Rosinen
3 Eßl. zerbröckelten Honigkuchen

1–2 Lorbeerblätter hinzufügen, mitschmoren lassen das gare Fleisch in Scheiben schneiden, auf einer vorgewärmten Platte anrichten, warm stellen
den Bratensatz durch ein Sieb gießen, nach Belieben mit der restlichen Flüssigkeit auffüllen, zum Kochen bringen

3 gestrichene Eßl. Weizenmehl mit
4 Eßl. kaltem Wasser anrühren, den Bratensatz damit binden, die Soße mit
Salz
Pfeffer
Zucker abschmecken
Schmorzeit: Etwa 2¹/₂ Stunden.
Beigabe: Backobst, Apfelmus, Klöße.

Himmel und Erde (Foto)

750 g Kartoffeln	schälen, waschen, in Würfel schneiden
375 ml (³/₈ l) Wasser	mit
Salz, Zucker	zum Kochen bringen, die Kartoffeln hineingeben, zum Kochen bringen, etwa 15 Minuten kochen lassen
375 g Äpfel	schälen, vierteln, entkernen, in Stücke schneiden, hinzufügen, wieder zum Kochen bringen, gar kochen lassen
	das Gericht mit Salz, Zucker,
Essig	abschmecken
2 große Zwiebeln	abziehen, würfeln
100 g fetten Speck	in Würfel schneiden, auslassen, die Zwiebelwürfel darin goldgelb dünsten lassen
	das Gericht in eine vorgewärmte Schüssel geben, die Speck-Zwiebeln darüber verteilen
Kochzeit:	30 Minuten.
Beilage:	Gebratene Blutwurst.

Münsterländer Töttchen

500 g Kalbskopf	
500 g Kalbslunge	
500 g Kalbsherz	das Fleisch unter fließendem kalten Wasser abspülen, in
kochendes Salzwasser	geben
2 Zwiebeln	abziehen, mit
2 Nelken	spicken, mit
10 Pfefferkörnern	
1 Lorbeerblatt	zu dem Fleisch geben, zum Kochen bringen, gar kochen lassen
	das Fleisch aus der Brühe nehmen, vom Knochen lösen, kleinschneiden, warm stellen die Brühe durch ein Sieb gießen, 500 ml (¹/₂ l) abmessen
4 Zwiebeln	abziehen, fein würfeln
40 g Butter	zerlassen, die Zwiebelwürfel darin andünsten
40 g Weizenmehl	unter Rühren so lange darin erhitzen, bis es hellgelb ist
500 ml (¹/₂ l) Fleischbrühe	hinzugießen, mit einem Schneebesen durchschlagen, darauf achten, daß keine Klumpen entstehen, zum Kochen bringen, etwa 10 Minuten kochen lassen, das Fleisch hinzufügen, kurze Zeit miterhitzen, mit
Pfeffer	
Essig	
Zucker	abschmecken
Kochzeit:	Etwa 3 Stunden.
Tip:	1 Teel. Senf im Teller mit dem „Töttchen" verrühren.

Reibekuchen (Foto)

2 kg Kartoffeln	schälen
2 mittelgroße Zwiebeln	abziehen beide Zutaten waschen, reiben, mit
2–3 gestrichenen Teel. Salz **4 Eiern** **60 g gesiebtem Weizenmehl**	verrühren etwas von
250 ml (¹/₄ l) Speiseöl	erhitzen, den Teig eßlöffelweise hineingeben, flachdrücken, von beiden Seiten braun und knusprig backen.
Beigabe:	Kompott, Apfelmus oder Kräuterquark.

Westfälischer Kastenpickert

30 g Hefe **1 Teel. Zucker** **gut 250 ml (¹/₄ l) lauwarmer Milch**	zerbröckeln, mit und 5 Eßl. von anrühren
1 kg Kartoffeln	schälen, waschen, fein reiben, gut abtropfen lassen oder in einem sauberen Tuch gut auspressen
500 g Weizenmehl	in eine Rührschüssel sieben, in die Mitte eine Vertiefung eindrücken, die aufgelöste Hefe hineingeben, sie etwa ¹/₂ cm dick mit Mehl bestreuen
Salz **2 Eier**	an den Rand des Mehls geben sobald das auf die Hefe gestreute Mehl rissig wird, von der Mitte aus die Hefe mit dem Mehl, den übrigen Zutaten und der restlichen Milch mit einem elektrischen Handrührgerät mit Knethaken so lange verkneten, bis

sich der Teig vom Boden löst die Kartoffelmasse hinzufügen, mit dem Hefeteig gut verkneten, den Teig an einem warmen Ort so lange stehenlassen (40–50 Minuten), bis er etwa doppelt so hoch ist den Teig nochmals mit dem Handrührgerät gut durchkneten

250 g Rosinen	verlesen, unterheben
Semmelmehl	den Teig in eine gefettete, mit ausgestreute Kastenform füllen den Teig nochmals an einem warmen Ort so lange stehenlassen, bis er etwa um ¹/₃ höher ist, ihn erst dann in den Backofen schieben
Strom:	175–200
Gas:	2–3
Backzeit:	1¹/₄–1¹/₂ Stunden den abgekühlten Pickert in fingerdicke Scheiben schneiden, kurz vor dem Servieren in
zerlassener Butter	von beiden Seiten goldbraun backen, heiß servieren.
Beigabe:	Kaffee, Konfitüre oder Leberwurst.

Lippischer Wurstebrei

1—1¹/₂ kg Schweine- fleisch	unter fließendem kalten Wasser abspülen, evtl. einmal durch- schneiden
1¹/₂ l Salz- wasser	zum Kochen bringen, das Fleisch hineingeben
1 Bund Suppengrün	putzen, waschen, kleinschnei- den
1 Zwiebel 1—2 Lorbeer- blättern 2 Nelken	abziehen, mit dem Suppengrün, zu dem Fleisch geben, zum Kochen bringen, gar kochen lassen
	das Fleisch aus der Brühe nehmen, von den Knochen lösen, in Stücke schneiden, die Brühe durch ein Sieb gießen, mit Wasser auf 1¹/₂ l auffüllen, zum Kochen bringen
125 g grobe Gerstengrütze	einstreuen, zum Kochen bringen, etwa 10 Minuten quellen lassen
125 g feine Gerstengrütze	hinzufügen, zum Kochen bringen, weitere 10—15 Minuten quellen lassen
250 g Zwiebeln	abziehen, mit dem Fleisch durch den Fleischwolf drehen, die Fleisch-Zwiebel-Masse mit
1 Teel. ge- rebeltem Majoran 1 Teel. ge- mahlenem Piment 1 Teel. Pfeffer 1 Messerspitze gemahlenen Nelken	zu der Gerstengrütze geben, je nach Beschaffenheit des Wurste- breis evtl. noch
250—375 ml (¹/₄—³/₈ l) heißes Wasser	hinzugießen, aufkochen lassen,
Salz, Pfeffer	kräftig mit würzen
Kochzeit für das Fleisch:	Etwa 1¹/₂ Stunden
für die Grütze:	20—25 Minuten.

Westfälisches Blindhuhn

200 g weiße Bohnen 1¹/₂—2 l Wasser	waschen, 12—24 Stunden in einweichen, in dem Einweich- wasser zum Kochen bringen
400 g durch- wachsenen Speck	hinzufügen, zum Kochen bringen
300 g Grüne Bohnen	abfädeln, waschen, in kleine Stücke brechen
250 g Möhren	putzen, schrappen, waschen
750 g Kartoffeln	schälen, waschen beide Zutaten kleinschneiden
2 Äpfel 2 Birnen	beide Zutaten schälen, vierteln, entkernen, in Würfel schneiden die fünf Zutaten nach etwa 1 Stunde Kochzeit zu den Bohnen und dem Speck geben, zum Kochen bringen, mit
Salz, Pfeffer	würzen, noch etwa 30 Minuten kochen lassen den Speck herausnehmen, in Streifen schneiden, wieder in den Eintopf geben
150 g durch- wachsenen Speck	in feine Würfel schneiden, aus- lassen
2 Zwiebeln	abziehen, fein würfeln, in dem Speckfett goldgelb anbraten den Eintopf in einer vorgewärm- ten Schüssel anrichten, Speck- und Zwiebelwürfel dazureichen
Garzeit:	Etwa 1¹/₂ Stunden.
Tip:	Schnell zubereitet ist der Eintopf ohne weiße Bohnen, dann 500 g Grüne Bohnen verwenden.

49

Steckrüben-Eintopf

500 g Schweinebauch (ohne Knochen)	unter fließendem kalten Wasser abspülen, trockentupfen, in kleine Würfel schneiden
1 kg Steckrüben	schälen, waschen, in Stifte schneiden
750 g Kartoffeln	schälen, waschen, in Würfel schneiden
40 g Margarine	erhitzen, das Fleisch unter Wenden schwach darin bräunen
2 Zwiebeln	abziehen, würfeln kurz bevor das Fleisch genügend gebräunt ist, die Zwiebeln hinzufügen, kurz mitbräunen lassen das Fleisch mit
Salz, Pfeffer 500 ml (1/2 l) Wasser	würzen, Steckrüben, Kartoffeln, hinzufügen, gar schmoren lassen den Eintopf mit Salz, Pfeffer abschmecken, mit
gehackter Petersilie	bestreuen
Schmorzeit:	Etwa 1 Stunde.

Rheinischer Suppentopf (Foto)

375 g Rindfleisch	unter fließendem kalten Wasser abspülen, trockentupfen, in Würfel schneiden
4−5 Eßl. Speiseöl	erhitzen, das Fleisch darin anbraten
1 1/4 l Wasser 4 gestrichene Eßl. Klare Instant-Fleischbrühe	hinzugießen unterrühren, zum Kochen bringen, 15−20 Minuten kochen lassen
1 Sellerieknolle (etwa 250 g)	schälen, waschen, in Würfel schneiden

300 g frische Grüne Bohnen	abfädeln, waschen, in Stücke brechen
250 g Kartoffeln	schälen, waschen, in Würfel schneiden
1 Stange Porree	gründlich waschen, in Ringe schneiden (evtl. nochmals waschen) das Gemüse in die Fleischsuppe geben, weitere 40−50 Minuten kochen lassen, mit
Salz Pfeffer	abschmecken den Suppentopf mit
feingehackter Petersilie	bestreuen
Garzeit:	Etwa 1 1/4 Stunden.

Kartoffelsuppe Westfalen

500 g Kartoffeln	schälen, waschen, in Würfel schneiden
1 Stange Porree	putzen, waschen, in Ringe schneiden, evtl. nochmals waschen die beiden Zutaten in
1 l kochende Fleischbrühe	geben, zum Kochen bringen, etwa 25 Minuten kochen lassen, durch eine Sieb streichen, die Suppe mit
Salz Pfeffer geriebener Muskatnuß	abschmecken, zum Kochen bringen
250 ml (1/4 l) Schlagsahne	unterrühren, zum Kochen bringen, kurze Zeit schwach kochen lassen die Suppe mit
1 Bund feingeschnittenem Schnittlauch	bestreuen, sofort servieren
Kochzeit:	25−30 Minuten.
Beigabe:	Bauernbrot.

Apfelmus

750 g Äpfel	waschen, von Stiel und Blüte befreien, in kleine Stücke schneiden, mit
5 Eßl. Wasser	zum Kochen bringen, weich kochen lassen, durch ein Sieb streichen, mit
etwa 50 g Zucker	abschmecken.

Stippmilch

250 g Speisequark (Magerquark)	mit
40 g Zucker **1 Päckchen Vanille-Zucker** **125 ml (¹/₈ l) Milch**	verrühren
125 ml (¹/₈ l) Sahne	steif schlagen, unter den Quark heben.
Beigabe:	Gemischtes Obst.

Stachelbeergrütze

	Für die Grütze
500 g Stachelbeeren	von Stiel und Blüte befreien, waschen, gut abtropfen lassen, mit
125 ml (¹/₈ l) Wasser **175 g Zucker**	zum Kochen bringen, weich kochen lassen
60 g Speisestärke	mit
125 ml (¹/₈ l) kaltem Wasser	anrühren, unter Rühren in die kochenden, von der Kochstelle genommenen Stachelbeeren geben, kurz aufkochen lassen die Stachelbeergrütze in eine kalt ausgespülte Sturzform oder in eine kalt ausgespülte Glasschale füllen, einige Stunden kalt stellen, stürzen.

Grießklöße mit Sauerkirschen
(Foto)

	Für die Grießklöße
100 g Grieß **500 ml (¹/₂ l) kochende Milch**	unter ständigem Rühren in streuen, unter häufigem Umrühren ausquellen lassen den Grießbrei etwas ausquellen lassen
20—30 g Butter	in kleinen Flocken hineingeben nach und nach
3 Eigelb **1 Prise Salz** **50 g Zucker** **4 Stücke Zwieback**	unterarbeiten zerbröseln aus der Grießmasse mit nassen Händen Klöße formen, in den Zwiebackbröseln wälzen
etwa 50 g Butter	in einer Pfanne zerlassen, die Grießklöße darin von beiden Seiten goldbraun braten, warm stellen
	für die Sauerkirschen
500 g Sauerkirschen	waschen, entstielen, entsteinen, mit
Saft und abgeriebener Schale von 1 Zitrone (unbehandelt) **100 g Zucker**	bestreuen sobald die Früchte Saft gezogen haben, sie mit
1 Zimtstange **2 Nelken**	zum Kochen bringen die Kirschen bei schwacher Hitze gar dünsten lassen, Zimtstange und Nelken entfernen, die Sauerkirschen heiß oder kalt mit den heißen Grießklößen servieren
Garzeit für den Grieß:	10—15 Minuten
Dünstzeit für die Kirschen:	Etwa 15 Minuten.

Die mitteldeutsche Küche —
das essen die Hessen

Lauchgemüse mit Schwartemagen

750 g Lauch (Porree)	putzen, in Scheiben schneiden, gründlich waschen
2 große Zwiebeln	abziehen, würfeln
1 Eßl. Schweineschmalz	zerlassen, die Zwiebelwürfel darin andünsten, den Lauch tropfnaß dazugeben, evtl. noch etwas Wasser hinzufügen, den Lauch mit
Salz frisch gemahlenem Pfeffer	würzen
4 Scheiben Schwartemagen	in das Gemüse geben, mitschmoren lassen
Dünstzeit:	Etwa 15 Minuten.

Mangold (Römisch Kohl — Foto)

1 kg Mangold	putzen, die Stengel von den Blättern schneiden die Blätter gründlich waschen, ohne Wasser gar dünsten lassen, dann grob oder fein schneiden die Mangoldstengel abziehen
50 g Butter oder Margarine	zerlassen, die Mangoldstengel darin andünsten
1 Lorbeerblatt 1–2 Teel. Essig 125 ml (¹/₈ l) Milch Salz	hinzufügen, mit würzen, gar dünsten lassen die kleingeschnittenen Mangoldblätter,
125 ml (¹/₈ l) Schmand	unterrühren, erhitzen das Gemüse mit Salz,
frisch gemahlenem Pfeffer	abschmecken
Dünstzeit:	Etwa 10 Minuten.

Rindfleisch mit Grüner Soße (Foto)

1 kg Rindfleisch (aus der Keule)	unter fließendem kalten Wasser abspülen, in
1 l kochende Fleischbrühe	geben, zum Kochen bringen, mit
Salz, Pfeffer	würzen, zugedeckt etwa 1 Stunde kochen lassen
2 Bund Suppengrün	putzen, waschen, in Streifen schneiden
1 Zwiebel	abziehen, in Scheiben schneiden, mit dem Suppengrün,
1 Lorbeerblatt	zu dem Fleisch geben, etwa 80 Minuten kochen lassen das gare Fleisch aus der Brühe nehmen, in Scheiben schneiden, auf einer vorgewärmten Platte anrichten, mit
gehackter Petersilie	bestreuen
	für die Soße
1 Eßl. Mayonnaise	mit
250 ml (¹/₄ l) saurer Sahne	verrühren, den Saft von
1 Zitrone	unterrühren
1 hartgekochtes Ei	pellen, fein hacken, hinzufügen, die Soße mit
Salz Pfeffer Zucker	abschmecken
200 g Kräuter (Petersilie, Schnittlauch, Dill, Estragon, Pimpinelle)	vorsichtig abspülen, trockentupfen, fein hacken (einige Blättchen zum Garnieren zurücklassen), in die Soße geben, eine Zeitlang im Kühlschrank stehenlassen die Soße mit den restlichen

	Kräutern garnieren, zu dem Rindfleisch reichen
Kochzeit:	Etwa 1³/₄ Stunden.

Hessisches Weckewerk

500 g Zwiebeln	abziehen, würfeln
2—3 Eßl. Griebenschmalz	zerlassen, die Grieben herausnehmen, die Zwiebelwürfel in dem Fett hellbraun braten, die Grieben wieder hinzufügen, kurz durchbraten, mit
Salz, Pfeffer	würzen
750 g Weckewerk oder Gehacktes (halb Rind-, halb Schweinefleisch)	hinzufügen, durchbraten, dabei die Fleischklümpchen mit einer Gabel zerdrücken das Fleisch gar braten lassen, evtl. mit Salz, Pfeffer abschmecken
Bratzeit:	Etwa 25 Minuten.
Beilage:	Pellkartoffeln.

Zwiebelgemüse

750 g junge Zwiebeln	abziehen, halbieren
50 g Butter	zerlassen, die Zwiebeln darin andünsten
125 ml (¹/₈ l) Weißwein 125 ml (¹/₈ l) Fleischbrühe	hinzugießen
3 Eßl. Rosinen	verlesen, unterrühren, die Zwiebeln mit
Salz, Pfeffer	würzen, gar dünsten lassen
2 Eßl. Semmelmehl	unterrühren, kurz durchdünsten
Dünstzeit:	Etwa 20 Minuten.

Rippchen mit Kraut

500 g gepökelte Rippchen	unter fließendem kalten Wasser abspülen, in
1 l Wasser	geben, zum Kochen bringen, gar kochen lassen, warm stellen
1 Zwiebel	abziehen, fein würfeln
Schmalz	zerlassen, die Zwiebelwürfel darin goldgelb dünsten
500 g Sauerkraut	lockerzupfen, etwa 5 Minuten mitdünsten lassen
1 Apfel	schälen, vierteln, entkernen, in Würfel schneiden, mit
12 Wacholderbeeren	(am besten im Mullbeutel) hinzufügen
250 ml (¹/₄ l) Weißwein	
100–200 ml Fleischbrühe	hinzugießen, zugedeckt zum Kochen bringen, dünsten lassen nach etwa 1 Stunde Dünstzeit
500 g durchwachsenen Speck	dazugeben
2 Eßl. Kirschwasser	etwa 30 Minuten vor Beendigung der Garzeit hinzufügen
6 Frankfurter Würstchen (Colmarettes oder geräucherte Würstchen)	zu dem Sauerkraut geben, etwa 10 Minuten miterhitzen das Sauerkraut in einer vorgewärmten Schüssel anrichten den Speck in dünne Scheiben schneiden die garen Rippchen in Portionsstücke teilen, mit dem Speck und dem Sauerkraut auf einer vorgewärmten Platte anrichten
Dünstzeit für das Sauerkraut:	Etwa 2 Stunden
Kochzeit für die Rippchen:	Etwa 1¹/₂ Stunden.
Beilage:	Kartoffel-Püree mit Speck.

Hasenbraten
(Etwa 6 Portionen)

1 küchenfertigen Hasen (2 kg, Rücken, Keulen, Läufe) unter fließendem kalten Wasser abspülen, trockentupfen, enthäuten, von allem Fett befreien, Keulen und Läufe vom Rücken trennen, das Fleisch mit

Salz, Pfeffer Rosmarinblättchen einreiben, mit

bestreuen, mit

50 g weicher Butter bestreichen, die Hälfte von

125 g fetten Speckscheiben in eine mit Wasser ausgespülte Rostbratpfanne legen, darauf Keulen und Läufe geben, mit Speckscheiben bedecken (einige für den Rücken zurücklassen)

1 Zwiebel abziehen

1 Möhre putzen, schrappen, waschen beide Zutaten kleinschneiden, mit

1 Lorbeerblatt
10 zerdrückten Wacholderbeeren
5 Pimentkörnern hinzufügen, in den Backofen schieben
den Rücken erst nach 15 Minuten Bratzeit dazulegen
sobald der Bratensatz bräunt, etwas von

250 ml (¹/₄ l) heißem Wasser hinzugießen, das Fleisch ab und zu mit dem Bratensatz begießen, verdampfte Flüssigkeit nach und nach ersetzen

1 Becher (150 g) saure Sahne mit

5 Eßl. Kondensmilch verrühren, 10 Minuten vor Beendigung der Bratzeit den Hasen damit begießen

das gare Fleisch auf einer vorgewärmten Platte anrichten, warm stellen
den Bratensatz mit Wasser loskochen, durch ein Sieb gießen, nach Belieben mit Wasser auf-

— **das essen die Hessen**

füllen, auf der Kochstelle zum
Kochen bringen

etwas Speise-
stärke mit
etwas kaltem
Wasser anrühren, den Bratensatz damit

binden, die Soße mit Salz,
Pfeffer abschmecken

Strom: 200−225, **Gas:** 3−4
Bratzeit: Etwa 1^1/$_2$ Stunden (je nach Alter
des Tieres).
Beilage: Klöße, Rotkohl.

Erbsensuppe mit Klößchen

375 g junge ausgepahlte Erbsen	waschen, abtropfen lassen
200 g durchwachsenen Speck	in Würfel schneiden, ausbraten
1 Zwiebel	abziehen, würfeln, in dem Speckfett andünsten, die Erbsen hinzufügen
750 ml (³/₄ l) Fleischbrühe	hinzugießen, mit
Salz, Pfeffer	würzen, zum Kochen bringen, etwa 20 Minuten kochen lassen
	für die Klößchen
2 Brötchen (vom Vortag)	in kaltem Wasser einweichen, gut ausdrücken, mit
1 Ei	
2–3 Eßl. Weizenmehl	zu einem Teig verkneten, mit
Salz, Pfeffer	würzen
feingehackte Petersilie	unterkneten
	aus dem Teig kleine Klößchen formen, in die Suppe geben, zum Kochen bringen, in etwa 10 Minuten gar ziehen lassen
Garzeit:	Etwa 30 Minuten.

Linsen-Suppe mit Streuseln

200 g Backpflaumen	in
750 ml (³/₄ l) Wasser	12–24 Stunden einweichen, in dem Einweichwasser zum Kochen bringen, in etwa 25 Minuten gar kochen, abtropfen lassen
250 g Linsen	waschen
500 g geräucherte Rippchen	unter fließendem kalten Wasser abspülen, mit den Linsen in geben, zum Kochen bringen, in etwa 1 Stunde fast weich kochen lassen
1¹/₂ l Wasser	
2 Kartoffeln	schälen, waschen, in Würfel schneiden
1 Bund Suppengrün	putzen, waschen, kleinschneiden beide Zutaten zu den Linsen geben, mit
Salz, Pfeffer	würzen, in 25–30 Minuten gar kochen lassen die Rippchen von den Knochen befreien, das Fleisch mit den Backpflaumen in die Suppe geben
	für die Streusel
1 Ei, Salz	mit soviel
Weizenmehl	verarbeiten, daß Streusel entstehen, in die Suppe geben, in 10–15 Minuten garziehen lassen.

Quer durch de Garte (Foto)

1 Kohlrabi	schälen
4 Möhren	putzen, schrappen
1/2 Knolle Sellerie	schälen
1 Stange Lauch	putzen
	die vier Zutaten waschen, in kleine Würfel schneiden
1/2 Blumenkohl	putzen, in Röschen teilen, waschen
350 g Grüne Bohnen	abfädeln, waschen, in Stücke brechen
80 g durchwachsenen Speck	in Würfel schneiden
1–2 Zwiebeln	würfeln
50 g Butter	zerlassen, die Speckwürfel darin ausbraten, die Zwiebelwürfel hinzufügen, hellgelb dünsten lassen, das Gemüse hinzufügen, mitdünsten lassen
1¹/₂ l Fleischbrühe	hinzugießen, zum Kochen bringen
2 Tomaten	in Würfel schneiden (Stengelansätze entfernen), etwa 10 Minuten vor Beendigung der Garzeit hinzufügen, den Eintopf mit
Salz, Pfeffer	würzen
Garzeit:	Etwa 50 Minuten.

Wutschhebes (Foto)

500 g Kartoffeln	schälen, in
Salzwasser	geben, zum Kochen bringen, in etwa 25 Minuten gar kochen lassen, abgießen, durch die Kartoffelpresse geben
1 kg Kartoffeln	schälen, waschen, reiben, in einem Küchentuch gut auspressen, zu den gekochten Kartoffeln geben
1 Ei, 1 EßI. Weizenmehl 1 gestr. Teel. Salz	hinzufügen, alles zu einem Teig verkneten, mit bemehlten Händen Klößchen daraus formen
2 l Milch 1 l Salzwasser	mit zum Kochen bringen, die Klößchen hineingeben, zum Kochen bringen, gar ziehen lassen
100 g durchwachsenen Speck	würfeln, ausbraten, über die gare Suppe geben
Garzeit für die Klöße:	Etwa 20 Minuten.

Motten und Klöße

750 g Schweinenacken	unter fließendem kalten Wasser abspülen, abtrocknen, vom Knochen lösen, das Fleisch in etwa 2 cm große Würfel schneiden den ausgelösten Knochen in
1 l kaltes Salzwasser	geben, zum Kochen bringen, etwa 30 Minuten kochen lassen
1 kg Möhren	putzen, schrappen, waschen, in grobe Stifte schneiden
2 Zwiebeln	abziehen, fein würfeln
50 g Schweineschmalz	zerlassen, die Zwiebeln darin andünsten Fleischwürfel und Möhren hinzufügen, miterhitzen
	die Knochenbrühe durch ein Sieb gießen, zu dem Fleisch geben, mit
Salz, Pfeffer	würzen, zum Kochen bringen, etwa 30 Minuten kochen lassen, verdampfte Flüssigkeit nach und nach ersetzen für die Klöße
1 kg Kartoffeln	waschen, in so viel Wasser zum Kochen bringen, daß die Kartoffeln bedeckt sind, in etwa 20 Minuten gar kochen lassen, abgießen, pellen, abkühlen lassen, fein reiben, mit
2 Eiern 125—250 g Weizenmehl	zu einem glatten Teig verkneten, sollte er kleben, noch etwas Mehl hinzufügen, mit Salz, Pfeffer,
geriebener Muskatnuß	abschmecken aus dem Teig mit nassen Händen Klöße formen (4 große oder 8 kleinere), auf die Möhren legen, etwa 15 Minuten ziehen lassen
Garzeit:	Etwa 1 1/4 Stunden.

Hutzelkloß (Foto)

250 g gemisch- tes Backobst **750 ml (³/₄ l)** **Wasser**	*12—24 Stunden in* *einweichen, mit dem Einweich- wasser,*
60 g Zucker	*zum Kochen bringen*
50 g Butter	*geschmeidig rühren, nach und nach*
50 g Zucker **2 Eier, Salz** **1 Tropfen** **Backöl** **Zitrone**	*hinzufügen*
250 g Weizen- mehl	*mit*
6 g (2 ge- strichene Teel.) Back- pulver	*mischen, sieben, abwechselnd mit*
6 EßL. Milch	*unterrühren aus dem Teig einen Kloß formen, auf das kochende Backobst legen, etwa 45 Minuten im zugedeckten Topf, dann noch 15 Minuten im offenen Topf kochen lassen*
Kochzeit:	*Etwa 1 Stunde.*

kochendes Salzwasser	*geben, zum Kochen bringen, gar ziehen lassen (Wasser muß sich leicht bewegen)*
Garzeit:	*Etwa 20 Minuten.*

Kartoffelklöße

375 g Pell- kartoffeln	*heiß pellen, durch eine Kartof- felpresse geben, erkalten las- sen*
1 kg Kartoffeln	*waschen, schälen, reiben, auf ein Küchentuch geben, gut aus- pressen, das Kartoffelwasser auffangen, stehenlassen, damit sich die Stärke absetzt, das Wasser abgießen gekochte und rohe Kartoffelmas- se mit der abgesetzten Stärke,*
50—75 g Kar- toffelmehl	*vermengen*
1—2 Eier	*unterkneten, mit*
Salz	*würzen aus der Masse mit nassen Händen Klöße formen*

Pellkartoffeln und Duckefett

1 kg kleine mehlig- kochende Kartoffeln	*waschen, in Wasser zum Kochen bringen, in 20—25 Minuten gar kochen lassen, abgießen, sofort pellen, warm stellen für das Duckefett*
150 g durch- wachsenen Speck	*klein würfeln, auslassen*
2 Zwiebeln	*abziehen, würfeln, in dem Speck- fett hellbraun braten*
250 ml (¹/₄ l) Milch	*hinzugießen*
2 Eßl. Schmand	*unterrühren, kurz aufkochen lassen, mit den Pellkartoffeln servieren.*

Puttäpfel (Foto)

8 mittelgroße Äpfel	waschen, nicht schälen, von der Blütenseite her ausbohren, aber nicht durchstechen die Äpfel in eine gefettete Auflaufform oder auf feuerfeste kleine Teller setzen
1–2 Eßl. Butter	mit
1–2 Eßl. Zucker 1 Päckchen Vanille-Zucker	verrühren, in die Äpfel füllen, auf dem Rost in den vorgeheizten Backofen schieben, weich backen
Strom:	200–225
Gas:	3–4
Backzeit:	30–45 Minuten.

Schmand-Kuchen

1 Päckchen Hefe (42 g)	zerbröckeln, mit
50 g Zucker Salz	und 10 Eßl. von
250 ml (¹/₄ l) lauwarmer Milch	anrühren
500 g Weizenmehl	in eine Rührschüssel sieben, in die Mitte eine Vertiefung eindrücken, die aufgelöste Hefe hineingeben, sie etwa ¹/₂ cm dick mit
Weizenmehl	bestreuen
2 Eßl. Speiseöl	an den Rand des Mehls geben sobald das auf die Hefe gestreute Mehl stark rissig wird, von der Mitte aus die Hefe mit dem Mehl und den übrigen Zutaten mit dem elektrischen Handrührgerät mit Knethaken zuerst auf der niedrigsten, dann auf der höchsten Stufe in etwa 5 Minuten zu einem Teig verarbeiten

den Teig an einem warmen Ort so lange stehenlassen, bis er etwa doppelt so hoch ist, ihn dann gut durchkneten
den Teig auf einem gefetteten Backblech ausrollen

100 g Rosinen	verlesen, über den Teig streuen den Teig nochmals gehen lassen

für den Belag

1 Päckchen Pudding-Pulver Vanille-Geschmack 20 g Speisestärke 75 g Zucker	mit 6 Eßl. von
375 ml (³/₈ l) kalter Milch	anrühren, die übrige Milch zum Kochen bringen, von der Kochstelle nehmen, das Pudding-Pulver unter Rühren hineingeben, kurz aufkochen lassen, den Pudding während des Erkaltens ab und zu umrühren
2 Becher (je 250 g) Schmand	unterrühren, die Puddingcreme auf den Teig streichen das Backblech auf dem Rost in den vorgeheizten Backofen schieben
Strom:	Etwa 200
Gas:	Etwa 4
Backzeit:	Etwa 30 Minuten
1 Becher (250 g) Schmand	mit
2 Eßl. Zucker	gut verrühren, über den gebackenen Kuchen streichen den Schmand-Kuchen noch etwa 5 Minuten backen lassen.

Frankfurter Kranz

200 g Butter	geschmeidig rühren, nach und nach
200 g Zucker **3 Eier** **abgeriebene Schale von ¹/₂ Zitrone (unbehandelt)**	
2 EßI. Rum	hinzugeben
150 g Weizenmehl	mit
150 g Speisestärke	
6 g Backpulver	mischen, sieben, eßlöffelweise unterrühren, den Teig in eine gefettete Kranz-Form füllen
Strom:	175–200, **Gas:** 2–3
Backzeit:	Etwa 50 Minuten den Kuchen nach dem Backen noch etwa 10 Minuten im Backofen stehenlassen, aus der Form stürzen, eine Zeitlang ruhen lassen (am besten über Nacht) für die Buttercreme von
500 ml (¹/₂ l) Milch	6 EßI. abnehmen, mit
4 EßI. Speisestärke	verrühren, restliche Milch mit
40 g Zucker **1 Vanilleschote**	zum Kochen bringen in die von der Kochstelle genommene Milch die angerührte Speisestärke rühren, kurz aufkochen lassen, von der Kochstelle nehmen, unter ständigem Rühren erkalten lassen (Vanilleschote entfernen)
200 g Butter	geschmeidig rühren, die Vanillespeise eßlöffelweise darunter geben (darauf achten, daß weder Fett noch Vanillespeise zu kalt sind), mit
Kirschwasser	abschmecken für den Krokant
1 EßI. Butter	zerlassen
4 EßI. Zucker	unter Rühren so lange darin bräunen, bis er schwach gebräunt ist
150 g abgezogene, gehackte Mandeln	hinzufügen, unter Rühren erhitzen, bis der Krokant genügend gebräunt ist die Masse auf einer mit

70

Speiseöl bestrichenen Platte erkalten
lassen, klein zerstoßen
das Gebäck zweimal waagerecht
durchschneiden
etwa $1/3$ der Creme auf die Ringe
streichen, zusammensetzen

die restliche Buttercreme (etwas
zum Verzieren zurücklassen)
rundherum gleichmäßig auf den
Kranz streichen, mit Krokant
bestreuen, mit der restlichen
Creme nach Belieben verzieren.

Die Pfälzer Küche –
den Winzern in der Topf geschaut

Pfälzer Linsensuppe *(Foto)*

250 g Linsen	waschen, in
750 ml (³/₄ l)	
Rotwein	12–24 Stunden einweichen
1 Bund	
Suppengrün	putzen, waschen, abtropfen lassen, kleinschneiden, in
20 g zerlassener Butter	andünsten, zu den Linsen geben, Linsen mit dem Rotwein, dem Suppengrün,
500 ml (¹/₂ l)	
Fleischbrühe	zum Kochen bringen, eine Zeitlang bei milder Hitze kochen lassen
500 g Wildfleisch (ohne Knochen)	unter fließendem kalten Wasser abspülen, trockentupfen
30 g durchwachsenen Speck	in Streifen schneiden, auslassen
1 Zwiebel	abziehen, fein würfeln, mit dem Wildfleisch zu dem Speck geben, anbraten, mit
Salz	
Pfeffer	würzen, mit
1 Lorbeerblatt	
2 Pimentkörnern	
2 Pfefferkörnern	zu den Linsen geben, zum Kochen bringen, gar kochen lassen das Fleisch in kleine Würfel schneiden, wieder in die Suppe geben, die Suppe mit Salz, Pfeffer abschmecken
Kochzeit:	Etwa 1¹/₂ Stunden.

Sauerampfer-Suppe

2 Zwiebeln	abziehen, fein würfeln
1–2 Eßl.	
Butter oder	
Margarine	zerlassen, die Zwiebelwürfel darin glasig dünsten lassen
500 ml (¹/₂ l)	
Gemüse- oder	
Fleischbrühe	hinzugießen, zum Kochen bringen, etwa 5 Minuten kochen lassen
200–250 g	
Sauerampfer	verlesen, die Stiele entfernen, die Sauerampferblätter vorsichtig abspülen, abtropfen lassen, in feine Streifen schneiden, in die Brühe geben, zum Kochen bringen, etwa 5 Minuten kochen lassen
2 Eigelb	mit
250 ml (¹/₄ l)	
Sahne	verrühren, die Suppe damit abziehen, erhitzen (nicht mehr kochen lassen), mit
Salz, Pfeffer	abschmecken, sofort servieren
Kochzeit:	10–12 Minuten.

Dippehas

750 g Hasenfleisch (Läufe, Keulen oder Rückenstücke)	unter fließendem kalten Wasser abspülen, trockentupfen, in Portionsstücke teilen
250 g durchwachsenen Speck **100 g geräucherten fetten Speck**	die beiden Zutaten in Würfel schneiden
Speiseöl	in einem Bratentopf erhitzen, den Speck darin ausbraten, das Hasenfleisch von allen Seiten darin anbraten
5 Zwiebeln **3—4 Möhren** **1/2 Sellerieknolle**	abziehen, würfeln putzen, schrappen schalen das Gemüse waschen, in Stücke schneiden, mit den Zwiebeln zu dem Fleisch geben, mitdünsten lassen
1 Knoblauchzehe **2 Pimentkörnern** **2 Wacholderbeeren** **1 Lorbeerblatt** **1 Gewürznelke** **schwarzem Pfeffer** **Salz** **1 Eßl. Thymianblättchen oder 1/2 Teel. gerebeltem Thymian**	abziehen, fein hacken, mit hinzufügen
250 ml (1/4 l) Rotwein **250 ml (1/4 l) Wasser**	hinzugießen, zum Kochen bringen
2 Scheiben Schwarzbrot (vom Vortag)	fein reiben, über das Fleisch streuen den Topf zugedeckt auf dem Rost in den vorgeheizten Backofen schieben, gar schmoren lassen, ab und zu umrühren
Strom:	Etwa 175, **Gas:** Etwa 2
Schmorzeit:	Etwa 2 Stunden.

Wildgulasch

Etwa 1 kg Wildgulasch	trockentupfen
Butterschmalz	zerlassen, das Fleisch portionsweise darin anbraten, nach und nach Butterschmalz hinzufügen das Fleisch herausnehmen
3 Zwiebeln	abziehen, würfeln, in dem Bratfett goldbraun anbraten, das Fleisch wieder hinzufügen
2 Möhren **1 kleine Sellerieknolle** **300 g Champignons**	putzen, schrappen schälen putzen die drei Zutaten waschen, Möhren und Sellerie in Würfel schneiden, die Pilze vierteln die Zutaten mit
5 Wacholderbeeren	zu dem Fleisch geben
375 ml (3/8 l) Fleischbrühe **125 ml (1/8 l) Rotwein** **Salz, Pfeffer gerebeltem Thymian**	hinzugießen, mit würzen das Fleisch etwa 40 Minuten schmoren lassen
300 g Schattenmorellen	waschen, entsteinen, hinzufügen, miterhitzen
150 g Crème fraîche **2 Eßl. Cognac**	unterrühren, mit Salz, Pfeffer abschmecken
Garzeit:	Etwa 1 Stunde.

Rehkeule

Etwa 1 kg Reh-
fleisch (aus
der Keule)   unter fließendem kalten Wasser
abspülen, trockentupfen, ent-
häuten, mit

Salz
zerdrückten
Wacholder-
beeren
gerebeltem
Thymian
gerebeltem
Majoran
gerebeltem
Rosmarin
gerebeltem
Salbei   einreiben
1—2 Zwiebeln   abziehen, würfeln
1 Eßl. Butter-
schmalz   erhitzen, das Fleisch von allen
Seiten darin anbraten, die Zwiebelwürfel hinzufügen
den zugedeckten Bratentopf auf
dem Rost in den vorgeheizten
Backofen schieben
Strom: 175—200
Gas: 3—4
Bratzeit: Etwa 30 Minuten
das gare Fleisch aus dem Topf
nehmen, warm stellen
den Bratensatz mit

250 ml (¹/₄ l)
Rotwein   loskochen, durch ein Sieb gies-
sen, nach Belieben

1 Eßl. Weizen-
mehl   mit
2 Eßl. kaltem
Wasser   anrühren, den Bratensatz damit
binden

2 Eßl. Preisel-
beer-Kompott
1 Becher
(150 g)
Crème fraîche   unterrühren, kurz aufkochen lassen, die Soße mit Salz,

Pfeffer
Fleischextrakt   abschmecken
das Fleisch in Scheiben schneiden, mit der Soße anrichten.

Bäckerofen

750 g Schweine-, Rind- oder Hammelfleisch unter fließendem kalten Wasser abspülen, trockentupfen, in Würfel schneiden

4 Möhren putzen, schrappen

1 Stange Porree putzen
beide Zutaten waschen, kleinschneiden (Porree evtl. nochmals waschen), mit dem Fleisch in eine Schüssel geben, mit so viel von

1 Flasche (0,7 l) Weißwein übergießen, daß die Zutaten knapp bedeckt sind

1 Knoblauchzehe abziehen, zerdrücken, mit

10 Pfefferkörnern
1 Lorbeerblatt
2 Pimentkörnern hinzufügen, das Fleisch zugedeckt einige Stunden (am besten über Nacht) an einem kühlen Ort stehenlassen

250 g abgezogene Zwiebeln halbieren, in Scheiben schneiden
750 g Kartoffeln schälen, waschen, in Scheiben schneiden
die Zwiebelscheiben mit dem Fleisch, dem Gemüse, den Kartoffelscheiben abwechselnd lagenweise in einen gefetteten Schmortopf schichten, mit der Marinade begießen (soll knapp bedeckt sein, evtl. noch etwas Wein hinzufügen), mit

Salz, Pfeffer
1/2 Teel. gerebeltem Thymian
1/2 Teel. gerebeltem Basilikum

1/2 Teel. gerebeltem Bohnenkraut würzen, den Topf zugedeckt in den Backofen schieben, nach 2 1/2 Stunden Garzeit probieren, ob das Fleisch gar ist

1—2 Becher (150—300 g) Crème fraîche	unterrühren, das Gericht mit		den „Bäckerofen" kurz im geöffneten Topf bei starker Hitze überbacken, im Topf servieren
2—3 Eßl. Semmelmehl	bestreuen	**Strom:**	175—200 (vorgeheizt)
Butter	in Flocken darauf setzen	**Gas:**	3—4
		Garzeit:	2¹/₂—3 Stunden.

Die südwestdeutsche Küche —
Schlemmereien aus Schwaben und Baden

Bachforellen in Rosmarinsoße
(Foto)

4 küchenfertige Bachforellen (ersatzweise Forellen, je 200–250 g)	unter fließendem kalten Wasser abspülen, trockentupfen, innen und außen mit
Zitronensaft	beträufeln, etwa 15 Minuten stehenlassen, trockentupfen mit
Salz	würzen, in
Weizenmehl	wenden
50 g Butter	zerlassen, die Fische von beiden Seiten darin braten, auf einer vorgewärmten Platte anrichten, warm stellen
	für die Soße
2–3 Rosmarinzweige	abspülen, gut trockentupfen, in Stücke brechen, in dem Bratfett andünsten
125 ml (⅛ l) Wasser **125 ml (⅛ l) Sahne**	hinzugießen, mit dem Bratfett verrühren, erhitzen
1 Eßl. Weizenmehl **2 Eßl. kaltem Wasser**	mit anrühren, unter Rühren in die Flüssigkeit geben, zum Kochen bringen, etwa 5 Minuten kochen lassen
1–2 Eßl. Sherry medium **Pfeffer, Paprika edelsüß**	unterrühren, die Soße mit Salz, abschmecken, zu den Fischen reichen die Bachforellen mit
Zitronenscheiben **Rosmarin**	garnieren
Bratzeit für den Fisch:	Etwa 6 Minuten
Kochzeit für die Soße:	Etwa 5 Minuten.

Schleien in Senfsoße

4 küchenfertige Schleien (je etwa 200 g	unter fließendem kalten Wasser abspülen, trockentupfen, den schwarzen Streifen am Rückgrat mit dem Daumennagel herausschälen
250 ml (¼ l) Weißwein **125 ml (⅛ l) Wasser** **1 Lorbeerblatt** **gerebeltem Thymian** **1 gehäuften Teel. Salz** **10 Pfefferkörnern**	mit zum Kochen bringen, die Fische hineingeben, zum Kochen bringen, etwa 20 Minuten gar ziehen lassen, die Flossen und Kiemen herausziehen, die Fische auf einer vorgewärmten Platte anrichten, warmstellen
	für die Senfsoße die Fischbrühe durch ein Sieb gießen, 250 ml (¼ l) davon abmessen, zum Kochen bringen
1–2 Eßl. Weizenmehl **125 ml (⅛ l) saurer Sahne**	mit anrühren, unter die Fischbrühe rühren, zum Kochen bringen, etwa 5 Minuten kochen lassen
1 Eigelb **2 Eßl. Milch** **2 Eßl. mittelscharfem Senf**	mit verschlagen, die Soße damit abziehen
40 g Butter **Pfeffer** **Zucker**	dazugeben, unterrühren, mit abschmecken die Soße über die Schleien geben
gehackter Petersilie	bestreuen.

Kalbsvögel

4 Scheiben Kalbfleisch (je 150 g, aus der Keule geschnitten)
4 Scheiben roher Schinken
4 Scheiben durchwachsener Speck
4 gekochte, gepellte Eier
auf jede Kalbfleischscheibe 1 Scheibe Schinken, 1 Scheibe Speck, 1 Ei legen, das Fleisch von der schmalen Seite her aufrollen, mit Küchengarn zusammenhalten

60 g Butterschmalz
erhitzen, die Rouladen von allen Seiten gut darin anbraten

etwas heißes Wasser
hinzugießen, die Rouladen schmoren lassen, von Zeit zu Zeit wenden, verdampfte Flüssigkeit nach und nach ersetzen
die garen Rouladen (Küchengarn entfernen) warm stellen
den Bratensatz nach Belieben mit Wasser auffüllen, zum Kochen bringen

2 Teel. Speisestärke
1 EBl. kaltem Wasser
mit
anrühren, den Bratensatz damit binden

2 EBl. saure Sahne
Salz, Pfeffer
unter die Soße rühren, mit würzen
die Rouladen in Hälften oder Scheiben schneiden, in der Soße anrichten

Schmorzeit: Etwa 1 Stunde.

Rinderbraten Jäger Art

1 kg Rinderbraten (als große Scheibe geschnitten)
unter fließendem kalten Wasser abspülen, trockentupfen, auf der Innenseite mit

Salz, Pfeffer
bestreuen, mit
150 g Schwarzwälder Speck (in Scheiben)
belegen
für die Füllung

2 Zwiebeln
abziehen, würfeln
250 g Champignons
putzen, waschen, in Scheiben schneiden

150 g Schwarzwälder Speck
in Würfel schneiden, ausbraten Zwiebelwürfel und Champignonscheiben darin in etwa 10 Minuten gar dünsten lassen

2—3 EBl. gehackte Petersilie
unterrühren, die Masse gleichmäßig auf das Fleisch streichen das Fleisch von der schmalen Seite her aufrollen, mit Küchengarn umwickeln

Butterschmalz
in einem großen Bratentopf zerlassen, die Fleischroulade von allen Seiten gut darin anbraten

1 große Möhre
putzen, schrappen, waschen, in Würfel schneiden

1 Knoblauchzehe
abziehen, durchpressen beide Zutaten zu dem Fleisch geben

250 ml (¹/₄ l) Weißwein
hinzugießen, das Fleisch im geschlossenen Topf schmoren

250 g Champignons
putzen, waschen, in Scheiben schneiden, 10—15 Minuten vor Beendigung der Schmorzeit in den Bratensatz geben das gare Fleisch herausnehmen, in Scheiben schneiden, warm stellen

125 ml (¹/₈ l) Sahne
unter den Bratensatz rühren
Schmorzeit: Etwa 1¹/₂ Stunden.

Schwarzwälder Schäufele (Foto)

750 g gepökel-te, leicht ge-räucherte Schweine-schulter	unter fließendem kalten Wasser abspülen
1 l Wasser	mit
500 ml (1/2 l) Weißwein	
1 abgezogenen Zwiebel	
3 Nelken	
1 Lorbeerblatt	
4 Wacholder-beeren	
5 Pfeffer-körnern	
gerebeltem Thymian	zum Kochen bringen, das Fleisch hineingeben, zum Kochen brin-gen, bei schwacher Hitze gar kochen lassen, herausnehmen, abtropfen lassen, in Scheiben schneiden, auf einer vorgewärm-ten Platte anrichten
Kochzeit:	Etwa 1 1/2 Stunden.

Leberle, sauer

600 g Schwei-neleber	enthäuten, unter fließendem kal-ten Wasser abspülen, trocken-tupfen, in Würfel schneiden
100 g Speck	in kleine Würfel schneiden, aus-lassen, die Leberwürfel von allen Seiten gut darin anbraten
1 Zwiebel	abziehen, fein würfeln, mit-bräunen lassen, mit
30 g Weizen-mehl	bestäuben, mitbräunen lassen
500 ml (1/2 l) Fleischbrühe	hinzugießen, mit
Salz, Pfeffer	würzen die Leber gar schmoren lassen
2 Eßl. Essig Zucker	hinzufügen, mit Salz, abschmecken
Schmorzeit:	10—15 Minuten.
Beilage:	Kartoffelpüree, Salat.

Badischer Bohnentopf

500 g weiße Bohnen	waschen, 12—24 Stunden in
1¹/₂ l Wasser	einweichen, in dem Einweichwasser mit
500 g durchwachsenem Speck (in dicken Scheiben)	zum Kochen bringen, etwa 1¹/₂ Stunden kochen lassen
4 Möhren	putzen, schrappen, waschen
2 Stangen Porree	putzen, gründlich waschen beide Zutaten in Scheiben schneiden
1 kg Kartoffeln	schälen, waschen, in Würfel schneiden Gemüse und Kartoffeln zu den Bohnen geben, zum Kochen bringen, mit
Salz, Pfeffer	würzen, in etwa 30 Minuten gar kochen lassen
2 Zwiebeln	abziehen, fein würfeln
2 Eßl. Butter	zerlassen, die Zwiebelwürfel darin andünsten
3 Eßl. gehackte Petersilie	hinzufügen, kurz mitdünsten lassen, unter den garen Bohnentopf rühren
Kochzeit:	Etwa 2 Stunden.

Hausgemachte Nudeln

	²/₃ von
500 g Weizenmehl	in eine Schüssel sieben, in die Mitte eine Vertiefung eindrükken
1 Teel. Salz	mit
1 Eßl. Essig	hineingeben
250 ml (¹/₄ l) Wasser	nach und nach von der Mitte aus mit dem Mehl verrühren, den Rest des Mehls unterkneten sollte der Teig kleben, noch etwas

Weizenmehl	hinzugeben den Teig in nicht zu großen Stücken dünn ausrollen, die Teigplatten zum Trocknen auf Tücher legen, wenn die Teigplatten so weit getrocknet sind, daß sie nicht mehr aufeinanderkleben, aber auch noch nicht zerbrechen, sie in gewünschte Länge und Breite schneiden die Nudeln so lange locker ausgebreitet an der Luft stehenlassen, bis sie vollkommen trocken sind.

Spätzle

400 g Weizenmehl	in eine Schüssel sieben, in die Mitte eine Vertiefung eindrücken
4 Eier	mit
1 gestr. Teel. Salz	
12 Eßl. Wasser	verschlagen, etwas davon in die Vertiefung geben, von der Mitte aus mit dem Mehl verrühren, nach und nach die übrige Flüssigkeit hinzugießen, darauf achten, daß keine Klumpen entstehen, den Teig so lange mit einem Rührlöffel schlagen, bis er Blasen wirft den Teig auf ein Holzbrett streichen, mit einem Spätzleschaber kleine Stücke portionsweise in
kochendes Salzwasser	geben, zum Kochen bringen, gar kochen lassen (die Spätzle sind gar, wenn sie an der Wasseroberfläche schwimmen) sie dann nochmals aufkochen lassen die garen Spätzle auf ein Sieb geben, mit kaltem Wasser übergießen, abtropfen lassen
Kochzeit:	3—5 Minuten.
Tip:	Zu Braten oder Geschnetzeltem reichen.

Kletzen-Brot

250 g getrock-nete Birnen	über Nacht in
500 ml (¹/₂ l) Wasser	einweichen, abtropfen lassen
250 g getrock-nete Pflau-men ohne Stein	
100 g getrock-nete Feigen	die drei Zutaten würfeln
50 g Hasel-nußkerne	
50 g Walnuß-kerne	
75 g Mandeln	die drei Zutaten grob hacken verlesen
125 g Rosinen	
25 g gewürfel-tes Zitronat	
25 g gewürfel-tes Orangeat	
abgeriebene Schale von 1 Zitrone (unbehandelt)	
abgeriebene Schale von ¹/₂ Apfelsine (unbehandelt)	
¹/₂ Teel. gemah-lene Nelken	
1 Messerspitze Muskatblüte	
1 Teel. ge-mahlenen Zimt	
1 Teel. gemah-lener Korian-der	
¹/₂ Teel. Anissamen	
4 zerdrückte Wacholder-beeren	alle Zutaten vermengen
125 ml (¹/₈ l) Obstschnaps	darüber gießen, etwa 12 Stun-den durchziehen lassen, mehr-mals vorsichtig durchrühren

500 g Roggen-brotteig (mit Sauer-teig)	mit den Zutaten verkneten aus dem Teig 1 Brot von etwa 30 cm Länge und etwa 10 cm Breite formen, auf ein gefettetes Backblech legen, an einem war-men Ort etwa 1 Stunde gehen lassen, vor dem Backen mit Wasser bestreichen, mit
abgezogenen Mandeln	garnieren das Blech in den vorgeheizten Backofen schieben das Kletzenbrot während des Backens 2—3mal mit Wasser be-streichen
Strom:	175—200, **Gas:** 3—4
Backzeit:	Etwa 1¹/₂ Stunden das Kletzenbrot erkalten lassen, in Alufolie wickeln, erst nach etwa 1 Woche anschneiden.

Heidelbeer-Pfannkuchen

250 g Weizenmehl	in eine Schüssel sieben, in die Mitte eine Vertiefung eindrücken
2 Eier	mit
500 ml (¹/₂ l) Milch	
4 Eßl. Zucker	verschlagen, etwas davon in die Vertiefung geben, von der Mitte aus Eiermilch, Mehl verrühren, nach und nach die übrige Eier-milch dazugeben, darauf achten, daß keine Klumpen entstehen
800 g Heidelbeeren	verlesen, waschen, gut abtropfen lassen, vorsichtig unter den Teig heben, etwas von
80 g Butter	in einer Pfanne zerlassen, eine dünne Teiglage hineingeben, von beiden Seiten goldgelb backen bevor der Pfannkuchen gewen-det wird, etwas Butter in die Pfanne geben die fertigen Pfannkuchen mit
Puderzucker	bestäubt servieren.

Kraut-Spätzle

250 g Weizenmehl	in eine Schüssel sieben, in die Mitte eine Vertiefung eindrücken
2 Eier	mit
1/2 Teel. Salz	
125 ml (1/8 l) Wasser	verschlagen, etwas davon in die Vertiefung geben, von der Mitte aus mit dem Mehl verrühren, nach und nach die übrige Flüssigkeit hinzugießen, darauf achten, daß keine Klumpen entstehen den Teig so lange mit einem Rührlöffel schlagen, bis er Blasen wirft den Teig auf ein Holzbrett streichen, mit einem Spätzleschaber kleine Stücke portionsweise in
kochendes Salzwasser	geben, zum Kochen bringen, gar kochen lassen (die Spätzle sind gar, wenn sie an der Wasseroberfläche schwimmen), sie dann nochmals aufkochen lassen die garen Spätzle auf ein Sieb geben, mit heißem Salzwasser abspülen, abtropfen lassen
1 mittelgroße Zwiebel	abziehen, würfeln
50 g Butter	zerlassen, die Zwiebelwürfel darin glasig dünsten lassen
500 g Weinsauerkraut (aus der Dose)	mit einer Gabel lockerzupfen, zu den Zwiebelwürfeln geben
125 ml (1/8 l) Wasser	hinzugießen, zum Kochen bringen, 10—15 Minuten dünsten lassen, mit
Salz gerebeltem Majoran	abschmecken Spätzle und Sauerkraut miteinander vermengen
2 Eßl. zerlassene Butter	darüber geben
Kochzeit für die Spätzle:	3—5 Minuten
Dünstzeit für das Sauerkraut:	10—15 Minuten.

Petersilien-Spätzle (Foto)

400 g Weizenmehl	in eine Schüssel sieben, in die Mitte eine Vertiefung eindrücken
50 g Petersilie	waschen, gut abtropfen lassen, fein hacken, mit
3 Eiern	
1 gestr. Teel. Salz	
Pfeffer	
100 ml Wasser	verschlagen, etwas davon in die Vertiefung geben, von der Mitte aus mit dem Mehl verrühren, nach und nach die übrige Flüssigkeit hinzugießen, darauf achten, daß keine Klumpen entstehen, den Teig so lange mit einem Rührlöffel schlagen, bis er Blasen wirft den Teig auf ein Holzbrett streichen, mit einem Spätzleschaber kleine Stücke portionsweise in
kochendes Salzwasser	geben, zum Kochen bringen, gar kochen lassen (die Spätzle sind gar, wenn sie an der Wasseroberfläche schwimmen), sie dann nochmals aufkochen lassen die garen Spätzle auf ein Sieb geben, mit kaltem Wasser übergießen, abtropfen lassen
Kochzeit:	3—5 Minuten.
Tip:	Die Spätzle mit gebräunter Butter übergießen.

Springerle (Foto)

2 Eier	schaumig schlagen
200 g Puderzucker	sieben, nach und nach
1 Päckchen Vanille-Zucker	hinzugeben, so lange schlagen, bis eine dicke, cremeartige Masse entstanden ist
225 g Weizenmehl	mit
1 Messerspitze Backpulver	mischen, sieben, so viel davon unter die Masse rühren, daß ein fester Brei entsteht, den Rest des Mehls auf die Tischplatte sieben, den Brei darauf geben, mit Mehl bedecken, mit den Händen zu einem glatten Teig verkneten, sollte er kleben, noch bis zu
50 g Weizenmehl	hineinkneten den Teig etwa 1 cm dick ausrollen, Rechtecke in der Größe des Backmodels herausschneiden, sie mit
Weizenmehl	bestäuben, in den bemehlten Model drücken, sie dann abheben, in die aufgeprägten Rechtecke zerschneiden, die Springerle auf ein gefettetes, mit
Anissamen	bestreutes Backblech legen, in einem mäßig warmen Raum etwa 24 Stunden trocknen lassen Backbleche in den vorgeheizten Backofen schieben
Strom:	125–159, **Gas:** 1–2
Backzeit:	Etwa 30 Minuten da die Oberfläche des Gebäcks weiß bleiben soll, nach dem Aufgehen, sobald sich ein kleiner Sockel gebildet hat, ein kaltes Backblech oben in den Backofen schieben, die Springerle nach dem Backen einige Tage offen (nicht in einer Dose) an der Luft stehenlassen, damit sie weich werden, sie erst dann gut verschlossen aufbewahren.

Preiselbeer-Auflauf

8 Semmeln (vom Vortag)	in etwa 1 cm dicke Scheiben schneiden
3 Eier	mit
750 ml (¾ l) Milch	
100 g Zucker	verschlagen, über die Semmeln gießen, durchziehen lassen
400 g Preiselbeeren	verlesen, waschen, mit
125 ml (⅛ l) Wasser	
100 g Zucker	zum Kochen bringen, in etwa 10 Minuten gar dünsten lassen Semmelscheiben und Preiselbeeren in eine gefettete flache Auflaufform schichten, mit
2 Eßl. Kirschwasser	beträufeln
3 Eßl. Butter	in Flöckchen daraufsetzen
Strom:	175–200, **Gas:** 3–4
Backzeit:	Etwa 30 Minuten.

Apfelmus-Kuchen

100 g Butter	geschmeidig rühren
200 g Zucker	
2 Eier, Salz geriebene Muskatnuß	
1 Teel. gemahlenen Zimt	
3 Eßl. Rum	nach und nach unterrühren
400 g Weizenmehl	mit
3 g (1 gestr. Teel.) Backpulver	mischen, sieben, unterrühren
200 g Apfelmus	mit
100 g gehackten Haselnußkernen	
150 g verlesenen Rosinen	unter den Teig heben den Teig in eine gefettete Kranzform füllen
Strom:	Etwa 175, **Gas:** Etwa 3
Backzeit:	50–60 Minuten.

Die bayerische Küche —
vom Frankenland bis zum Allgäu

Semmelklößchen-Suppe

250 g zer- kleinerte Rindfleisch- knochen	
250 g Rind- fleisch	beide Zutaten unter fließendem kalten Wasser abspülen, in
1 1/2 l kaltes Salzwasser	geben, zum Kochen bringen, abschäumen
1 Bund Suppengrün	putzen, waschen, kleinschnei- den, hinzufügen, zum Kochen bringen, das Fleisch gar kochen lassen, die Brühe durch ein Sieb gießen, mit Salz,
Suppenwürze	abschmecken
Kochzeit:	2 1/2—3 Stunden
	für die Semmelklößchen
2 Semmeln (vom Vortag)	in sehr feine Scheiben schnei- den, mit
etwas heißer Fleischbrühe	beträufeln
1 Eßl. Butter	geschmeidig rühren, mit den eingeweichten Semmelscheiben,
1—2 Eiern 1 Eßl. fein- gehackter Petersilie Salz geriebener Muskatnuß	vermengen aus der Masse mit nassen Händen Klößchen formen, in die kochende Rindfleischbrühe geben, gar ziehen lassen (Flüssig- keit muß sich leicht bewegen)
Garzeit:	Etwa 5 Minuten.

Krautsalat, bayerisch

	Von
500 g Weiß- kohl	die groben äußeren Blätter entfernen, den Kohl in Hälften oder Viertel schneiden, den
	Strunk herausschneiden, den Kohl waschen, fein schneiden
1 Eßl. Speise- öl	erhitzen, den Kohl kurze Zeit darin andünsten
etwas Salz- wasser	hinzugießen, halbweich dünsten, abtropfen lassen
150 g durch- wachsenen Speck	in Würfel schneiden, auslassen, mit dem Kohl vermengen für die Salatsoße
1 Zwiebel	abziehen, fein würfeln, mit
1 Eßl. Salat- öl	
2 Eßl. Essig Salz, Zucker Pfeffer	verrühren, mit würzen den noch warmen Weißkohl mit der Soße vermengen den Salat gut durchziehen lassen
Dünstzeit:	5—10 Minuten.

Bayerischer Wurstsalat (Foto)

300 g Fleisch- wurst	enthäuten
1 Gewürzgurke	
	beide Zutaten in Scheiben, dann in Streifen schneiden
1 Apfel	schälen, vierteln, entkernen
3—4 gekochte Möhren	
	beide Zutaten würfeln
2—3 Zwiebeln	abziehen, in Scheiben schneiden, in Ringe teilen für die Salatsoße
4 Eßl. Salatöl	mit
3 Eßl. Essig Salz Pfeffer	verrühren, mit würzen, mit den Salatzutaten vermengen, etwas durchziehen lassen den Wurstsalat mit
feingeschnit- tenem Schnitt- lauch	bestreut servieren.

Seerenken

**4 Seerenken
oder See-
forellen** mit einem scharfen Küchenmes-
ser an der Bauchseite aufschlitzen,
ausnehmen, unter fließendem
kalten Wasser gründlich abspülen, mit dem Daumennagel
den schwarzen Streifen am Rück-
grat herausschälen, die Seerenken innen mit

Salz bestreuen, nach Belieben rund
binden (einen starken Faden mit
einer Nadel durch Kopf und
Schwanz ziehen und die Faden-
enden verknoten)
die Seerenken mit dem Kopf zuerst in so viel

**kochende
Flüssigkeit
(auf 1 l
Wasser 4 Eßl.
Weißwein
5 Eßl. Essig
3 gehäufte
Teel. Salz)** geben, daß sie bedeckt sind,
zum Kochen bringen, den Topf
von der Kochstelle nehmen, die
Seerenken gar ziehen lassen
(der Fisch ist gar, wenn sich
Kiemen und Flossen leicht her-
ausziehen lassen)
Garzeit: Etwa 20 Minuten.

Wels im Wurzelsud (Foto)

**1 küchen-
fertigen Wels
oder Kabeljau
(etwa 1 kg)** unter fließendem kalten Wasser
abspülen, trockentupfen, mit

Zitronensaft beträufeln, etwa 15 Minuten
stehenlassen, trockentupfen,
innen und außen mit

Salz bestreuen

für den Wurzelsud
1 Zwiebel abziehen, in dünne Scheiben
schneiden

**1 Stange
Porree** putzen, waschen, in dünne Ringe
schneiden, evtl. nochmals
waschen
1 Möhre putzen, schrappen
**1 Stück
Sellerie** schälen
beide Zutaten waschen, in feine
Stifte schneiden
2 Eßl. Butter zerlassen, die Zwiebelscheiben
darin andünsten, das Gemüse
hinzufügen, mitdünsten lassen

**1 l Wasser
250 ml (¹/₄ l)
Weißwein** hinzugießen, mit
Salz würzen
**5 Wacholder-
beeren
¹/₄ Teel.
Pfefferkörner**
beide Zutaten zerdrücken, mit
**2 Lorbeer-
blättern** in einem Mullbeutelchen in den
Wurzelsud geben, zum Kochen
bringen, etwa 10 Minuten kochen
lassen
den Fisch in den Sud geben, zum
kochen bringen, in 10–15 Minuten darin gar ziehen lassen,
herausnehmen, auf einer vorgewärmten Platte anrichten
den Mullbeutel aus dem Sud
nehmen, die Flüssigkeit etwas
einkochen lassen

**1 Bund Dill
1 Bund glatte
Petersilie
1 Stengel
Estragon**
die Kräuter vorsichtig abspülen,
abtropfen lassen, die Blättchen
von den Stielen zupfen, fein
hacken, in den Wurzelsud geben
den Sud zu dem Fisch reichen
Garzeit: Etwa 30 Minuten.
Beilage: Petersilienkartoffeln,
zerlassene Butter, Grüner Salat.

Bayerische Kalbshaxe (Foto)

1 Kalbshaxe (1¹/₂−2 kg)	unter fließendem kalten Wasser abspülen, trockentupfen, mit
Salz frisch gemahlenem weißen Pfeffer	einreiben, mit
125 ml (¹/₈ l) Wasser	in einen Bratentopf geben, zugedeckt auf dem Rost in den vorgeheizten Backofen schieben verdampfte Flüssigkeit nach und nach ersetzen
250 g Möhren	putzen, schrappen, waschen, in Scheiben schneiden, etwa 30 Minuten vor Beendigung der Schmorzeit zu dem Fleisch geben, mitschmoren lassen das gare Fleisch vom Knochen lösen, in Scheiben schneiden, auf einer vorgewärmten Platte anrichten, warm stellen den Bratensatz mit Wasser loskochen, evtl. mit Wasser auffüllen, auf der Kochstelle zum Kochen bringen
2 Teel. Speisestärke **1 Eßl. kaltem Wasser**	mit anrühren, den Bratensatz damit binden, die Soße mit Salz, Pfeffer abschmecken
Strom:	225−250
Gas:	3−4
Schmorzeit:	2−2¹/₄ Stunden.
Beilage:	Bayerisch Kraut, Semmelknödel.

Semmelknödel

8 Semmeln (vom Vortag)	in knapp 2 mm dicke Blättchen schneiden
125 g durchwachsenen Speck **1 Zwiebel**	in Würfel schneiden, auslassen abziehen, würfeln, in dem Speck goldgelb dünsten lassen die Speck-Zwiebel-Masse mit
250 ml (¹/₄ l) kochendheißer Milch	über die Semmelblättchen geben, etwa 1 Stunde durchziehen lassen
2−3 Eier	verschlagen, mit
Salz Pfeffer geriebener Muskatnuß	würzen
3 g (1 gestrichener Teel.) Backpulver **1 Eßl. gehackte Petersilie**	unterrühren, mit der Semmelmasse verrühren aus der Masse mit nassen Händen Klöße formen, in
kochendes Salzwasser	geben, zum Kochen bringen, gar ziehen lassen (Wasser muß sich leicht bewegen)
Garzeit:	Etwa 15 Minuten.

Pichelsteiner Topf

200 g Hammel- fleisch **200 g Schweine- fleisch**	das Fleisch unter fließendem kalten Wasser abspülen, trok- kentupfen, in nicht zu kleine Würfel schneiden
2 Eßl. Butter oder Margarine	zerlassen, die Fleischwürfel unter Wenden schwach darin bräunen lassen, mit
Salz **Pfeffer**	würzen
250 g Möhren	putzen, schrappen
200 g Sellerie	schälen
500 g Kartoffeln	schälen die drei Zutaten waschen, klcin3chneiden
250 g Porree	putzen, waschen, in Scheiben schneiden, evtl. nochmals waschen
250 g Wirsing (vorbereitet gewogen)	waschen, kleinschneiden
2 mittelgroße Zwiebeln	abziehen, fein würfeln
2 Mark- knochen	unter fließendem kalten Wasser abspülen, das Mark mit einem Messer herauslösen, kurze Zeit in kaltes Wasser legen, trockentupfen, in Scheiben schneiden, in einem großen Topf auslassen die Zwiebelwürfel darin an- dünsten Fleisch, Gemüse und Kartoffeln,
500 ml (¹/₂ l) Instant- Fleischbrühe	hinzufügen, gar schmoren lassen den Eintopf mit
gehackter Petersilie	bestreuen
Schmorzeit:	Etwa 1 Stunde.

Rosenheimer Gemüsetopf

300 g Rind- fleisch **300 g Schweine- fleisch** **100 g Rinder- mark**	unter fließendem kalten Wasser abspülen, trockentupfen, das Fleisch in Würfel, das Rindermark in Scheiben schneiden
350 g Möhren	putzen, schrappen, waschen, in Scheiben schneiden
350 g Kartoffeln	schälen
350 g Porree	putzen, schälen beide Zutaten waschen, klein- schneiden
2 Zwiebeln	abziehen, würfeln
2 Eßl. Schmalz	zerlassen, die Fleischwürfel darin anbraten
250 ml (¹/₄ l) Fleischbrühe	hinzugießen, das Fleisch etwa 15 Minuten schmoren lassen, die Zwiebelwürfel hinzufügen, etwa 10 Minuten mitdünsten lassen die Rindermarkscheiben in einen großen Kochtopf geben, erhitzen, bis das Mark zerlassen ist Fleisch, Gemüse und Kartoffeln abwechselnd einschichten (letzte Schicht soll aus Kartoffeln be- stehen), jede Schicht mit
Salz **Pfeffer** **gerebeltem Majoran** **Kümmel**	bestreuen
750 ml (³/₄ l) Fleischbrühe	hinzugießen den Gemüsetopf zum Kochen bringen, etwa 30 Minuten kochen lassen, nach Belieben 10 Minuten vor Beendigung der Garzeit
125 ml (¹/₈ l) Weißwein	hinzugießen, mit Salz, Pfeffer, Kümmel abschmecken, mit
gehackter Petersilie	bestreuen
Garzeit:	Etwa 1 Stunde.

Wendelsteiner Kochfleischplatte

**Etwa 500 g
Rindfleisch
(ohne
Knochen)
1 küchen-
fertiges
Suppenhuhn
8 Rinder-
markknochen**

die Zutaten unter fließendem
kalten Wasser abspülen

**2¹/₂—3 l
Wasser
500 ml (¹/₂ l)
Weißwein
2 Teel. Salz**

mit

zum Kochen bringen, Rindfleisch,
Huhn und Markknochen hineingeben, zum Kochen bringen, abschäumen

**1 große
Zwiebel
1 Eßl.
Margarine**

abziehen, halbieren

zerlassen, die Zwiebelhälften
darin andünsten

**2 Lorbeer-
blätter
1 Teel. zer-
drückten Wa-
cholderbeeren
1 Teel. zer-
drückten
weißen
Pfefferkörnern**

mit

in einen Mullbeutel geben, mit
den Zwiebelhälften in die Brühe
geben, alles etwa 1 Stunde
kochen lassen, zwischendurch
abschäumen

**1 küchen-
fertige
Schweine-
zunge**

unter fließendem kalten Wasser
abspülen, in die Brühe geben,
zum Kochen bringen, weitere
1¹/₂ Stunden kochen lassen
verdampfte Flüssigkeit durch
Wasser ersetzen

8 Möhren

putzen, schrappen, waschen,
längs halbieren

Fortsetzung S. 102

8 Stangen Porree	putzen, längs halbieren, gründlich waschen
	das Gemüse 15 Minuten vor Beendigung der Kochzeit in die Brühe geben, zum Kochen bringen, gar kochen lassen
	Rindfleisch, Huhn und Schweinezunge aus der Brühe nehmen
	das Rindfleisch in Scheiben schneiden, das Huhn von den Knochen befreien, in Portionsstücke schneiden, die Zunge kalt abspülen, die Haut abziehen, das Fleisch in Scheiben schneiden
	Markknochen, Zwiebeln und den Mullbeutel aus der Brühe entfernen
4 Weißwürste 4 Regensburger Würste	beide Zutaten unter fließendem kalten Wasser abspülen, mit dem Fleisch in die Brühe geben, kurz erhitzen, das Fleisch und die Hälfte des Gemüses auf einer vorgewärmten Platte anrichten, mit
3 Eßl. gehackter Petersilie 3 Eßl. feingeschnittenem Schnittlauch	bestreuen
	die Brühe mit dem restlichen Gemüse in Suppentassen füllen, mit
gehackter Petersilie feingeschnittenem Schnittlauch	bestreuen, nach Belieben zu dem Fleisch reichen
Garzeit:	Etwa 2³/4 Stunden.
Beigabe:	Bauernbrot, Rote Bete-Salat, Meerrettich (aus dem Glas), verschiedene Senfsorten, Remouladensoße.

Pökelnacken auf Sauerkraut
(Foto)

1 kg Pökelnacken	unter fließendem kalten Wasser abspülen, trockentupfen
750 g Sauerkraut	lockerzupfen
1 mittelgroße Zwiebel	abziehen, mit
einigen Nelken	spicken das Sauerkraut mit der Zwiebel,
2—3 Lorbeerblättern 10 Wacholderbeeren 2 Pimentkörnern	in den gewässerten Tontopf geben den Pökelnacken darauf legen
250 ml (¹/4 l) Wasser	hinzugießen
	den Tontopf mit dem Deckel verschließen, auf dem Rost in den vorgeheizten Backofen schieben
Strom:	200—225
Gas:	4—5
Garzeit:	Etwa 1¹/4 Stunden. das gare Fleisch herausnehmen, das Sauerkraut evtl. mit
Salz, Pfeffer Zucker	abschmecken Fleisch in Scheiben schneiden, auf dem Sauerkraut anrichten.

Obatzer

75 g weiche Butter	geschmeidig rühren
250 g reifen Camembert	mit einer Gabel zerdrücken, unter die Butter rühren
1 kleine Zwiebel	abziehen, in Würfel schneiden
1 Teel. Senf	beide Zutaten unter die Camembertmasse rühren, mit
Salz, Pfeffer Paprika edelsüß	abschmecken.

Saure Zipfel

5 Zwiebeln	abziehen, halbieren, in Scheiben schneiden, mit
1 l Wasser **5 Pfefferkörnern** **2 Pimentkörnern** **10 Senfkörnern** **Salz, Zucker** **3–4 Eßl. Essig**	zum Kochen bringen
20–25 Nürnberger Bratwürstchen	hineingeben, fast bis zum Kochen bringen (dürfen nicht kochen), gar ziehen lassen, in dem Zwiebelsud anrichten
Kochzeit für die Zwiebeln:	5–7 Minuten
Garzeit für die Würstchen:	Etwa 15 Minuten.
Beigabe:	Weißbrot und Laugenbrezel.

Fränkischer Schmorbraten

1 kg Rindfleisch	unter fließendem kalten Wasser abspülen, trockentupfen
1 Bund Suppengrün	putzen, waschen
1 Zwiebel	abziehen
1 Tomate	waschen die drei Zutaten kleinschneiden
Pflanzenfett	erhitzen, das Fleisch gut darin anbraten, mit
Salz, Pfeffer	bestreuen, Suppengrün, Zwiebel-, Tomatenstücke hinzufügen, kurz miterhitzen, etwas
heißes Wasser	hinzugießen, das Fleisch schmoren lassen, von Zeit zu Zeit wenden, verdampfte Flüssigkeit nach und nach ersetzen, das gare Fleisch in Scheiben schneiden den Bratensatz durch ein Sieb streichen, entfetten
2–3 Eßl. Sahne	unterrühren
Schmorzeit:	Etwa 2½ Stunden.

Schweinebraten mit Kruste (Foto)

1 kg Schweinefleisch mit Schwarte	unter fließendem kalten Wasser abspülen, trockentupfen, die Schwarte gitterartig einschneiden, das Fleisch mit
Salz, Pfeffer gehackter Petersilie gerebeltem Thymian gerebeltem Salbei gerebeltem Rosmarin	einreiben, mit der Schwarte nach oben in einen mit Wasser ausgespülten Bratentopf legen, auf dem Rost in den vorgeheizten Backofen schieben sobald der Bratensatz bräunt, etwas von
250 ml (¼ l) Bier **250 ml (¼ l) Wasser**	hinzugießen, das Fleisch ab und zu mit dem Bratensatz begießen, verdampfte Flüssigkeit nach und nach ersetzen das gare Fleisch in Scheiben schneiden, auf einer vorgewärmten Platte anrichten, warm stellen den Bratensatz mit Wasser loskochen, durch ein Sieb gießen, nach Belieben mit Wasser auf 500 ml (½ l) auffüllen
2 Eßl. Weizenmehl	mit
3 Eßl. kaltem Wasser	anrühren, den aufgefüllten Bratensatz damit binden, die Soße mit Salz, Pfeffer abschmecken
Strom:	175–200
Gas:	3–4
Bratzeit:	1¾–2 Stunden.
Tip:	Die Kräuter mit süßem Senf verrühren, auf das Fleisch streichen.

Gefüllte Speckknödel

750 g mehlig-kochende Kartoffeln	waschen, in soviel Wasser zum Kochen bringen, daß die Kartoffeln bedeckt sind, gar kochen lassen, abgießen, abdämpfen, pellen, abkühlen lassen, durch die Kartoffelpresse geben
125 g Weizen-mehl **1 Ei** **1—2 EßI. ge-hackte Peter-silie** **Salz** **frisch gemah-lenem weißen Pfeffer** **Paprika edelsüß**	unterrühren, den Teig mit würzen
100 g durch-wachsenen Speck **1—2 EßI. ge-hackter Peter-silie**	in kleine Würfel schneiden, mit vermengen aus dem Kartoffelteig mit be-mehlten Händen 8—10 Knödel formen, in die Mitte jedes Knödels ein Loch drücken, jeweils 1 Teel. Speckwürfel hin-eingeben, das Loch zudrücken, Knödel nochmals rund formen, in
Salzwasser	geben, zum Kochen bringen, gar ziehen lassen (Wasser muß sich leicht bewegen)
Kochzeit für die Kartoffeln:	25—30 Minuten
Garzeit für die Knödel:	15—20 Minuten.
Tip:	Gefüllte Speckknödel mit grünem Salat und Sahnesoße zu Schweinebraten reichen.

Leberknödel

400 g (etwa 10) Semmeln (vom Vortag)	in knapp 2 mm dicke Blättchen schneiden, mit
500 ml (1/2 l) kochendheißer Milch	übergießen, etwa 1 Stunde quellen lassen
250 g Kalbs- oder Rinderleber	unter fließendem kalten Wasser abspülen, trockentupfen, von der feinen Haut befreien, evtl. Sehnen und Röhren entfernen
1 mittelgroße Zwiebel	abziehen beide Zutaten grob zerkleinern, durch den Fleischwolf drehen, mit
1 Eßl. gehackter Petersilie **2 Eiern** **3 g (1 gestrichener Teel.) Backpulver**	unter die Semmelmasse rühren die Masse mit
Salz **Pfeffer** **gerebeltem** **Majoran** **abgeriebener** **Zitronenschale** **(unbehandelt)**	abschmecken, mit nassen Händen Klöße daraus formen, in
kochendes Salzwasser	geben, zum Kochen bringen, gar ziehen lassen (Wasser muß sich leicht bewegen)
Garzeit:	Etwa 20 Minuten.
Beilage:	Salzkartoffeln.

Serviettenknödel (Foto)

300 g Toastbrot (mit Roggenmehl) **1–2 Eßl.** **Butterschmalz**	in kleine Würfel schneiden erhitzen, die Toastbrotwürfel darin goldgelb rösten, abkühlen lassen
300 g Weizenmehl	in eine Schüssel sieben
3 Eier **Salz** **250 ml (1/4 l) Milch**	hinzufügen, gut durchschlagen, bis der Teig Blasen wirft und geschmeidig ist, die gerösteten Toastbrotwürfel unterrühren ein Geschirrtuch oder eine große Serviette anfeuchten die Knödelmasse zu einem runden Laib formen, auf das untere Drittel des Tuches geben, zusammenrollen, die beiden Tuch-(Servietten-)enden fest zubinden, die Rolle in reichlich
kochendes Salzwasser	geben, den Topf mit einem Deckel verschließen, den Serviettenknödel gar ziehen lassen (Wasser muß sich leicht bewegen) den garen Serviettenknödel aus dem Geschirrtuch (Servietten) wickeln, mit Hilfe eines gekreuzten Zwirnfadens in Scheiben schneiden die Serviettenknödel nach Belieben mit
zerlassener gebräunter Butter	begießen
Garzeit:	Etwa 1 Stunde. Serviettenknödel als Beilage zu Sauerbraten, Schweinebraten, Geflügel (Ente, Gans) oder Gulasch reichen.

Marillenknödel

80 g weiche Butter	geschmeidig rühren
250 g Speisequark	
4 Eigelb, Salz	
500 g gesiebtes Weizenmehl	
1 Becher (150 g) saure Sahne	unterrühren, zu einem Teig verkneten, den Teig ausrollen, in 7 x 7 cm große Quadrate schneiden, jedes Teigstück mit bemehlten Händen etwas flach drücken
1 kg Aprikosen (Marillen)	waschen, abtrocknen, den Kern vorsichtig herauslösen
Würfelzucker	in jede Aprikose drücken 1 Aprikose auf jedes Teigstück legen, die gefüllten Teigstücke zu Knödeln formen, in
kochendes Salzwasser	geben, zum Kochen bringen, gar ziehen lassen (Wasser muß sich leicht bewegen) die Knödel mit einem Schaumlöffel herausnehmen, abtropfen lassen
Kochzeit:	Etwa 7 Minuten.
Tip:	Vanillesoße schmeckt besonders gut zu Marillenknödeln.

Erdbeercreme

250 ml (1/4 l) Schlagsahne	sehr steif schlagen
200 g Erdbeeren	waschen, gut abtropfen lassen, entstielen, pürieren, mit
2 Eßl. Zucker Saft von 1/2 Orange 1 Eßl. Preiselbeeren	vorsichtig unter die Schlagsahne rühren, mit
Weinbrand	abschmecken.

Zwetschenknödel (Foto)

Gut 1 1/2 kg Pellkartoffeln	noch heiß pellen, durch eine Kartoffelpresse geben, bis zum nächsten Tag kalt stellen 1 kg von den durchgepreßten Kartoffeln abwiegen, durch ein Sieb streichen, nach und nach
2 Eier, Salz 60 g Grieß 80 g Weizenmehl	hinzufügen, zu einem glatten Teig verkneten aus dem Teig mit bemehlten Händen runde Klöße formen
16—20 Zwetschen	waschen, entsteinen, je 1 Zwetsche in jeden Kloß drücken die Klöße in
kochendes Salzwasser	geben, zum Kochen bringen, gar ziehen lassen, die Knödel in
Zwiebackkrumen	wälzen, sofort servieren
Garzeit für die Klöße:	10—15 Minuten.
Beigabe:	Gebräunte Butter, Zucker, Zimt.

Rohrnudeln

20 g Hefe	zerbröckeln, mit
50 g Zucker	
1 Päckchen	
Vanille-Zucker	und 8 Eßl. von
150 ml lau-	
warmer Milch	anrühren
350 g Weizen-	
mehl	in eine Rührschüssel sieben, in die die Mitte eine Vertiefung eindrücken, die aufgelöste Hefe hineingeben, sie etwa $1/2$ cm dick mit
Weizenmehl	bestreuen
50 g zer-	
lassene, lau-	
warme Butter	an den Rand des Mehls geben, sobald das auf die Hefe gestreute Mehl stark rissig wird,
1 Ei	hinzufügen
	von der Mitte aus alle Zutaten mit einem elektrischen Handrühr-gerät mit Knethaken zuerst auf der niedrigsten, dann auf der höchsten Stufe in etwa 5 Mi-nuten zu einem glatten Teig verarbeiten
	den Teig an einem warmen Ort so lange stehenlassen, bis er etwa doppelt so hoch ist, ihn dann gut durchkneten, zu einer Rolle formen, in 8 gleich-mäßige Stücke schneiden, zu Klößen formen
250 ml ($1/4$ l) Milch	mit
1 Eßl. Butter	in einen Brattopf geben die Klöße nebeneinander — nicht zu dicht — in die Milch setzen die Dampfnudeln an einem warmen Ort so lange stehen-lassen, bis sie etwa doppelt so hoch sind den Topf auf dem Rost in den Backofen stellen
Strom:	175—200, **Gas:** 3—4
Backzeit:	Etwa 30 Minuten.
Beigabe:	Zerlassene, gebräunte Butter, ge-dünstetes Obst oder Pflaumen-Kompott.

Quark-Schmarren (Foto)

2 Packungen (je 200 g) Speisequark	mit
3 Eigelb	
4 Eßl. ge-siebtem Weizenmehl	
$1/2$ Teel. Salz	gut verrühren
3 Eiweiß	steif schlagen, unterheben
2 Eßl. Butter	zerlassen, die Quark-Masse je-weils 1 cm dick hineingeben, von beiden Seiten goldgelb backen den Eierkuchen dann mit 2 Ga-beln in kleine Stücke zerreißen, diese unter Wenden gut bräunen, evtl. noch etwas
Butter	hinzufügen den Quark-Schmarren mit
gesiebtem Puderzucker	bestäuben, sofort servieren.
Beigabe:	Zwetschen-Kompott.

Die ostdeutsche Küche — Traditionelles von Berlin bis Ostdeutschland

Löffelerbsen *(großes Foto)*

375 g gelbe Erbsen (ungeschält) **2 l Wasser**	waschen, 12–24 Stunden in einweichen, in dem Einweichwasser zum Kochen bringen
1 Teel. gerebelten Majoran **1 Lorbeerblatt**	hinzufügen, zugedeckt etwa 1 1/2 Stunden kochen lassen
2 mittelgroße Zwiebeln	abziehen
3 Möhren	putzen, schrappen, waschen
3 Kartoffeln	schälen, waschen
1 Stange Porree	putzen, längs halbieren, gründlich waschen das Gemüse in etwa 2 cm große Würfel oder in dünne Streifen schneiden
1 Eßl. Butter oder Margarine	zerlassen, das Gemüse etwa 5 Minuten darin andünsten, mit
Salz	würzen etwa 30 Minuten vor Beendigung der Garzeit das gedünstete Gemüse zu den Erbsen geben, mitkochen lassen die Löffelerbsen (Lorbeerblatt entfernen) mit Salz abschmecken, mit
1 Eßl. gehackter glatter Petersilie	bestreut servieren
Kochzeit:	Etwa 2 Stunden.
Beilage:	Gekochter Speck, Brot oder Brötchen.

Geschmorte Gurken in Schmand

1 kg Gemüsegurken	waschen, abtrocknen, halbieren, entkernen, in Würfel schneiden
2 Zwiebeln	abziehen, in Scheiben schneiden
60 g Butter oder Margarine	zerlassen, die Zwiebelscheiben darin andünsten, die Gurkenwürfel,
125 ml (1/8 l) Wasser oder Instant-Fleischbrühe	hinzufügen, gar dünsten lassen nach Belieben
250 ml (1/4 l) Schmand	mit
1 Eßl. Weizenmehl	verrühren, unter das Gemüse rühren, mit
Salz Pfeffer Zucker	würzen, mit
feingehackten Dill	bestreut servieren
Dünstzeit:	20–25 Minuten.
Beilage:	Dampfkartoffeln.

Erbspüree

375 g Erbsen **750 ml (³/₄ l)** **Wasser**	waschen, 12—24 Stunden in einweichen, in dem Einweichwasser zum Kochen bringen, gar kochen lassen
1 Bund **Suppengrün**	putzen, waschen, kleinschneiden, nach 1¹/₂ Stunden Kochzeit zu den Erbsen geben, gar kochen lassen die Erbsen durch ein Sieb streichen, erhitzen, schaumig rühren, mit
Salz **frisch gemahlenem schwarzen Pfeffer**	abschmecken
1 mittelgroße **Zwiebel**	abziehen, in Scheiben schneiden, in
40 g **zerlassener** **Butter** **oder** **50 g** **ausgelassenen** **Speckwürfeln**	braunbraten lassen, über das Erbspüree geben
Kochzeit:	2—2¹/₂ Stunden.
Beilage:	Sauerkraut, Schweinerippchen oder Pökelfleisch.

Rotkohl

	Von
1 kg Rotkohl	die groben äußeren Blätter entfernen, den Kohl vierteln, den Strunk entfernen, den Kohl waschen, sehr fein schneiden oder hobeln
1 große **Zwiebel**	abziehen, würfeln
3 saure Äpfel	schälen, vierteln, entkernen, kleinschneiden
60 g Gänse- **oder Schwei-** **neschmalz**	zerlassen, die Zwiebelwürfel darin hellgelb dünsten lassen,

	den Kohl hinzufügen, andünsten die Äpfelstückchen,
100 g verlesene Rosinen **1 Lorbeerblatt** **einige Gewürznelken** **Salz** **Zucker** **1 Prise Zimt** **2 EßI. Weißwein-Essig** **125 ml (¹/₈ l)** **Wasser**	hinzufügen, den Rotkohl gar dünsten lassen, mit Salz, Zucker,
Weißwein- **Essig**	abschmecken
Dünstzeit:	Etwa 1 Stunde.
Veränderung:	Anstelle von Wasser Weiß- oder Rotwein nehmen, evtl. auch 1 EßI. Johannisbeergelee mitkochen.

Teltower Rübchen (Foto)

750 g **Teltower** **Rübchen**	putzen, schrappen, waschen
40 g **Margarine**	zerlassen
etwas Zucker	darin bräunen, die Rübchen darin andünsten
125 ml (¹/₈ l) **Wasser** **Salz**	hinzufügen, gar dünsten lassen nach Belieben
1 Teel. **Speisestärke** **1 EßI. kaltem** **Wasser**	mit anrühren, die Rübchen damit binden, mit Salz abschmecken, mit
feingehackter **Petersilie**	bestreuen
Dünstzeit:	45—60 Minuten.

Rollmops in Gelee

6 mittelgroße Salzheringe (je 250 g)	ausnehmen (Köpfe abschneiden), 12–24 Stunden wässern, entgräten, waschen, abtrocknen, die Hälften mit
1 schwach gehäuften EßI. Senf	bestreichen
2 kleine Gewürzgurken	in kleine Stücke schneiden
2 mittelgroße Zwiebeln	abziehen, fein würfeln, mit den Gurken,
1 EßI. Kapern	auf die Heringshälften geben, vorsichtig aufrollen, mit Holzstäbchen feststecken, die Rollmöpse mit
8 Pfefferkörnern	
2 kleinen Lorbeerblättern	in einen Steintopf legen
125 ml (¹⁄₈ l) Wasser	mit
125 ml (¹⁄₈ l) Essig	verrühren, darüber gießen, 4–6 Tage stehenlassen
	für das Gelee
1 Päckchen Gelatine gemahlen, weiß	mit
250 ml (¹⁄₄ l) kaltem Wasser	anrühren, 10 Minuten zum Quellen stehenlassen
6 EßI. Essig (mit Wasser auf 250 ml = ¹⁄₄ l ergänzt)	mit
4 Pfefferkörnern	
2 Pimentkörnern (Nelkenpfeffer)	
1 Gewürznelke	

Fortsetzung S. 120

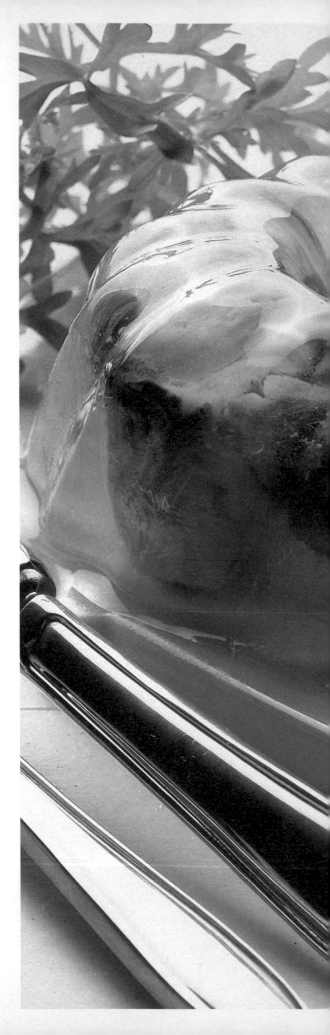

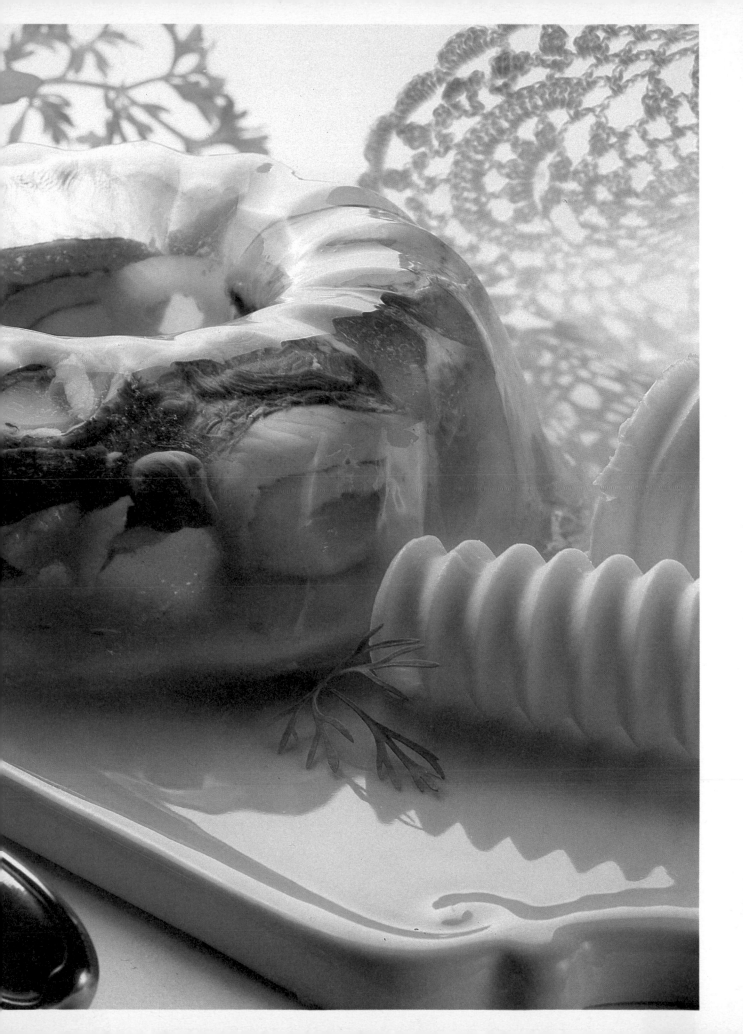

1 kleinen Lorbeerblatt	*zum Kochen bringen, einmal aufkochen lassen, die Gelatine hinzufügen, rühren, bis sie gelöst ist*
	die Brühe durch ein Sieb gießen, kalt stellen
	etwas von der Brühe in eine mit kaltem Wasser ausgespülte Form geben, so daß der Boden bedeckt ist, im Kühlschrank erstarren lassen
	die Rollmöpse in Scheiben schneiden (kleine Rollmöpse halbieren), auf die erstarrte Brühe legen, den Rest der schon etwas dicklichen Brühe darüber gießen, im Kühlschrank erstarren lassen
	vor dem Servieren die Form kurz in heißes Wasser halten, das Gelee mit einem Messer vorsichtig vom Rand der Form lösen, auf eine Platte stürzen.
Beigabe:	*Graubrot und Butter.*

Aal grün (Foto)

1 kg küchenfertigen, enthäuteten Aal	*unter fließendem kalten Wasser abspülen, trockentupfen, entgräten, in Portionsstücke teilen, mit*
Zitronensaft	*beträufeln, etwa 15 Minuten stehenlassen, trockentupfen, mit*
Salz	*würzen*
1 Bund Suppengrün	*putzen, waschen, in kleine Würfel schneiden*
1 mittelgroße Zwiebel	*abziehen, halbieren Gemüsewürfel und Zwiebelhälften mit*
5 weißen Pfefferkörnern 2 Lorbeerblättern	*in*

500 ml (¹/₂ l) Salzwasser	*geben, zum Kochen bringen*
125 ml (¹/₈ l) Weinessig	*hinzugießen, zum Kochen bringen, Aalstücke,*
125 ml (¹/₈ l) Weißwein 1 Bund feingehackten Dill	*hinzufügen, zum Kochen bringen, den Fisch in 15–20 Minuten gar ziehen lassen die Aalstücke herausnehmen, warm stellen, die Fischbrühe durch ein Sieb gießen, 500 ml (¹/₂ l) davon abmessen*
	für die Soße
30 g Butter oder Margarine	*zerlassen*
35 g Weizenmehl	*unter Rühren so lange erhitzen, bis es hellgelb ist die Fischbrühe hinzugießen, mit einem Schneebesen durchschlagen, darauf achten, daß keine Klumpen entstehen, die Soße zum Kochen bringen, etwa 5 Minuten kochen lassen*
3 Eßl. gehackte Kräuter (Petersilie, Schnittlauch, Dill, Estragon, Sauerampfer)	*unterrühren die Soße mit Salz,*
Zitronensaft Pfeffer	*abschmecken*
Garzeit für den Fisch:	*Etwa 20 Minuten*
Kochzeit für die Soße:	*Etwa 5 Minuten.*
Beilage:	*Petersilienkartoffeln, Gurkensalat.*

Königsberger Klopse (Foto)

1 Brötchen (Semmel)	in kaltem Wasser einweichen
1 mittelgroße Zwiebel	abziehen, fein würfeln
500 g Gehacktes (halb Rind-, halb Schweinefleisch)	mit dem gut ausgedrückten Brötchen, der Zwiebel,
1 Eiweiß 2 gestrichenen Teel. Senf Salz	vermengen, mit
Pfeffer	abschmecken, aus der Masse mit nassen Händen Klopse formen, in
750 ml (³/₄ l) kochendes Salzwasser	geben, zum Kochen bringen, abschäumen, die Klopse darin gar ziehen lassen (Wasser muß sich bewegen) die Brühe durch ein Sieb gießen, 500 ml (¹/₂ l) davon abmessen

Schmand-Schinken

für die Soße

30 g Butter	zerlassen
35 g Weizenmehl	unter Rühren so lange darin erhitzen, bis es hellgelb ist
500 ml (¹/₂ l) Fleischbrühe	hinzugießen, mit einem Schneebesen durchschlagen, darauf achten, daß keine Klumpen entstehen, die Soße zum Kochen bringen, etwa 5 Minuten kochen lassen
1 Eigelb	mit
2 Eßl. kalter Milch	verschlagen, die Soße damit abziehen (nicht mehr kochen lassen)
1 Eßl. Kapern	hinzufügen, mit
Salz, Pfeffer Speisewürze Zitronensaft	abschmecken, die Klopse in die Soße geben, 5 Minuten darin ziehen lassen
Garzeit:	Etwa 15 Minuten.

600 g luftgetrockneten Schinken	in Scheiben schneiden, mit
250 ml (¹/₄ l) Milch	übergießen, an einem kühlen Ort 4−5 Stunden stehen lassen, herausnehmen, trockentupfen Milch aufbewahren, Schinken in
Weizenmehl	wenden
40 g Butter	erhitzen, die Schinkenscheiben kurz darin bräunen, in eine feuerfeste Form geben den Bratensatz mit
125 ml (¹/₈ l) Sahne 125 ml (¹/₈ l) saurer Sahne	auffüllen, zum Kochen bringen
20 g Weizenmehl	mit der zurückgelassenen Milch verrühren, Sahne damit binden die Soße mit
Pfeffer Zitronensaft	mild abschmecken, über die Schinkenscheiben gießen
Kochzeit für die Soße:	5−6 Minuten.

Schlesischer Schwärtelbraten

1¹/₂ kg Schweinekeule mit Schwarte	unter fließendem kalten Wasser abspülen, trockentupfen, die Schwarte so einschneiden, daß Quadrate entstehen das Fleisch mit
Salz, Pfeffer	einreiben, mit
Speiseöl	bestreichen, mit
Rosmarinblättchen	bestreuen, mit der Schwarte nach oben auf den gefetteten Rost auf eine mit Wasser ausgespülte Rostbratpfanne legen, in den vorgeheizten Backofen schieben sobald der Bratensatz bräunt,
etwas heißes Wasser	hinzugießen, das Fleisch ab und zu mit dem Bratensatz begießen, verdampfte Flüssigkeit nach und nach ersetzen etwa 30 Minuten vor Beendigung der Bratzeit das Fleisch mehrmals mit
hellem Bier	bestreichen, damit die Kruste schön kroß und braun wird
Strom:	200—225
Gas:	3—4
Bratzeit:	2—2¹/₂ Stunden den garen Braten in Scheiben schneiden, auf einer vorgewärmten Platte anrichten den Bratensatz mit Wasser loskochen, durch ein Sieb gießen, zum Kochen bringen, nach Belieben
etwas Weizenmehl	mit
Weißwein	anrühren, den Bratensatz damit binden, die Soße mit
Salz Pfeffer Zucker Weißwein	abschmecken, nach Belieben
3—4 Eßl. Sahne	unterrühren, zu dem Fleisch reichen.
Beilage:	Kartoffelklöße, Rotkohl.

Eisbein mit Sauerkraut (Foto)

1 kg Eisbein	unter fließendem kalten Wasser abspülen, in
500 ml (¹/₂ l) Wasser	geben, zum Kochen bringen, etwa 1¹/₂ Stunden kochen lassen
1 mittelgroße Zwiebel	abziehen, mit
750 g Sauerkraut	
1 Lorbeerblatt	
3 Nelken	in die Kochbrühe zu dem Eisbein geben, zum Kochen bringen, noch etwa 1 Stunde kochen lassen
1 mittelgroße Kartoffel	schälen, waschen, reiben, zu dem Sauerkraut geben, kurz aufkochen lassen, damit es sämig wird, das Sauerkraut mit
Salz frisch gemahlenem weißen Pfeffer Zucker	abschmecken
Kochzeit:	Etwa 2¹/₂ Stunden.
Beilage:	Erbspüree und Kartoffelbrei.

Pökelrinderbrust mit Meerrettich-Soße

1 kg gepökelte Rinderbrust	
1³/₄ l kochendes Salzwasser	*in*
	geben, zum Kochen bringen, abschäumen
1 Zwiebel	*abziehen, mit*
1 Nelke	
1 Lorbeerblatt	*spicken*
2 Wacholderbeeren	
einige weiße Pfefferkörner	
	die fünf Zutaten zu dem Fleisch geben, das Fleisch zum Kochen bringen
1 Möhre	*putzen, schrappen, waschen*
1 Stange Porree	*putzen, gründlich waschen*
1 Sellerieknolle	*schälen, waschen*
	das Gemüse kleinschneiden, nach etwa 1 Stunde Kochzeit hinzufügen
	das Fleisch gar kochen lassen, aus der Brühe nehmen, etwa 10 Minuten stehenlassen, in etwa 1¹/₂ cm dicke Scheiben schneiden, auf einer vorgewärmten Platte anrichten, mit etwas von der Brühe übergießen
	für die Meerrettich-Soße
30 g Butter	*zerlassen*
35 g Weizenmehl	
	unter Rühren so lange darin erhitzen, bis es hellgelb ist
250 ml (¹/₄ l) Milch	
250 ml (¹/₄ l) Rindfleischbrühe	
	hinzugießen, mit einem Schneebesen durchschlagen, darauf achten, daß keine Klumpen entstehen, die Soße zum Kochen bringen, etwa 5 Minuten kochen

Fortsetzung S. 126

3 gehäufte EßL. geriebenen Meerrettich (aus dem Glas)	in die Soße geben (nicht mehr kochen), mit
Salz Zucker Zitronensaft	abschmecken, zu dem Fleisch reichen
Kochzeit für das Fleisch:	Etwa 2 Stunden
Kochzeit für die Soße:	Etwa 5 Minuten.
Beilage:	Preiselbeeren, Apfelmus, Salzkartoffeln.

Zwiebel-Fleisch

750 g Rindfleisch	unter fließendem kalten Wasser abspülen, in
1 1/2 l kochendes Salzwasser	geben, zum Kochen bringen
1 Zwiebel	abziehen
1 Bund Suppengrün	putzen, waschen die Zutaten hinzufügen, das Fleisch zum Kochen bringen, gar kochen, in der Brühe erkalten lassen, trockentupfen, in Scheiben schneiden, in
Weizenmehl	wenden
Pflanzenfett	in einer Pfanne erhitzen, die Fleischscheiben hineinlegen nachdem die untere Seite gebräunt ist, mit
Salz, Pfeffer	bestreuen
5 Zwiebeln	abziehen, in Scheiben schneiden, mit in die Pfanne geben, an der Seite unter Wenden bräunen, mit Salz, Pfeffer,
gerebeltem Majoran	würzen die Fleischscheiben mit den Zwiebeln auf einer vorgewärmten Platte anrichten
Kochzeit:	Etwa 2 1/2 Stunden
Bratzeit:	6–8 Minuten.

Rinder-Rouladen (Foto)

4 Scheiben Rindfleisch (je 150 g, aus der Keule)	mit
Salz, Pfeffer	bestreuen, mit
Senf	bestreichen
60 g durchwachsenen Speck	in Streifen schneiden
100 g Zwiebeln	abziehen, halbieren, in Scheiben schneiden
2 Gewürzgurken	in Streifen schneiden die Zutaten auf die Fleischscheiben geben, von der schmalen Seite her aufrollen, mit Holzstäbchen oder Fäden zusammenhalten
40 g Pflanzenfett	erhitzen, die Rouladen von allen Seiten gut darin anbraten
2 mittelgroße Zwiebeln	abziehen, vierteln
1 Bund Suppengrün	putzen, waschen, kleinschneiden, beide Zutaten kurz mitbraten lassen etwas
heißes Wasser	hinzugießen, die Rouladen schmoren lassen, von Zeit zu Zeit wenden, verdampfte Flüssigkeit nach und nach durch heißes Wasser ersetzen die garen Rouladen (Holzstäbchen oder Fäden entfernen), auf einer vorgewärmten Platte anrichten, warm stellen den Bratensatz mit Wasser auf 375 ml (3/4 l) auffüllen, zum Kochen bringen
20 g Weizenmehl	mit
3 EßL. kaltem Wasser	anrühren, die Flüssigkeit damit binden, die Soße mit Salz, Pfeffer abschmecken
Schmorzeit:	Etwa 1 1/2 Stunden.

Leber Berliner Art *(Foto)*

4 Scheiben Schweineleber (je 80−100 g)	unter fließendem kalten Wasser abspülen, trockentupfen, in
Weizenmehl	wenden
Butter	zerlassen, die Leberscheiben von beiden Seiten darin braten, mit
Salz	bestreuen, warm stellen
3 Zwiebeln	abziehen
Butter	zerlassen, die Zwiebelscheiben darin goldgelb dünsten lassen, auf die Leberscheiben verteilen
2 Äpfel	schälen, das Kerngehäuse ausstechen, die Äpfel in Scheiben schneiden, in dem Bratfett anbraten, mit den Leberscheiben anrichten
Bratzeit für die Leber:	6−10 Minuten.

Königsberger Fleck

1 kg gesäuerten Jung-Rindermagen	unter fließendem kalten Wasser abspülen, in eine Schüssel legen, mit Wasser begießen, etwa 3 Stunden stehenlassen, Wasser ab und zu erneuern, den gewässerten Rindermagen herausnehmen, abtropfen lassen, kräftig mit
Salz Weizenmehl	abreiben, nochmals unter fliessendem kalten Wasser abspülen, in einen Topf geben, mit Wasser auffüllen, zum Kochen bringen, etwa 1 Stunde kochen lassen, herausnehmen, abtropfen lassen, in 3 x 3 cm große Quadrate schneiden, die Kochbrühe weggießen, die Fleischquadrate mit
2 l heißer Fleischbrühe	auffüllen
1 Bund Suppengrün	putzen, waschen, kleinschneiden
1 Zwiebel	abziehen, vierteln, mit dem Suppengrün,
1 Lorbeerblatt 6 Pfefferkörnern 6 Pimentkörnern 1/2 Teel. gerebeltem Majoran	in die Brühe geben, zum Kochen bringen, etwa 4 Stunden kochen Suppengrün und Zwiebeln entfernen, die „Flecke" (Quadrate) mit einem Schaumlöffel aus der Brühe nehmen, warm stellen, die Brühe durch ein Sieb gießen, 500 ml (1/2 l) davon abmessen für die Soße
40 g Butter 40 g Weizenmehl	zerlassen
	unter Rühren so lange erhitzen, bis es hellgelb ist, die abgemessene Fleischbrühe hinzugiessen, mit einem Schneebesen durchschlagen die Soße zum Kochen bringen, etwa 5 Minuten kochen lassen

1 Eßl. Essig ***Pfeffer, Zucker***	*in die Soße rühren, mit Salz, abschmecken, die Rindermagenquadrate wieder hinzugeben, kurz miterhitzen, in eine vorgewärmte Schüssel füllen*
Kochzeit:	*Etwa 5¹/₂ Stunden.*

Pommersche Gans (Foto)

1 küchenfertige Gans (3,5−4 kg)	*unter fließendem kalten Wasser abspülen, trockentupfen, Keulen und Flügel mit Küchengarn am Rumpf befestigen, die Gans innen mit*
Salz ***gerebeltem*** ***Majoran***	*einreiben* *für die Füllung*
3 Äpfel	*schälen, vierteln, entkernen, in Scheiben schneiden, mit*
200 g eingeweichten, entsteinten Backpflaumen ***2 Eßl. Zucker*** ***¹/₂ Teel. gemahlenem Zimt*** ***4 Eßl. geriebenem Schwarzbrot*** ***2 Eßl. Weinbrand***	*vermengen, die Gans damit füllen, mit Küchengarn zunähen die Gans mit dem Rücken nach unten auf den Rost in eine mit Wasser ausgespülte Rostbratpfanne legen, auf der unteren Schiene in den vorgeheizten Backofen schieben, etwas*
heißes Wasser	*hineingießen* *während des Bratens ab und zu unterhalb der Flügel und Keulen in die Gans stechen, damit das Fett besser ausbraten kann das sich sammelnde Fett ab und zu über die Gans gießen, hin und wieder auch abschöpfen*
	sobald der Bratensatz bräunt, etwas
heißes Wasser	*hinzugießen, die Gans ab und zu mit dem Bratensatz begießen, verdampfte Flüssigkeit nach und nach ersetzen* *etwa 10 Minuten vor Beendigung der Garzeit die Gans mit*
kaltem Salzwasser	*bestreichen, die Hitze auf stark stellen, damit die Haut schön kroß wird* *die gare Gans auf einer vorgewärmten Platte anrichten (Fäden entfernen), warm stellen den Bratensatz mit Wasser loskochen, durch ein Sieb gießen, mit Wasser auf 500 ml (¹/₂ l) auffüllen, auf der Kochstelle zum Kochen bringen*
1−2 Eßl. Speisestärke ***4 Eßl. Sahne*** ***2 Eßl. Apfelmus*** ***Weinbrand***	*mit* *anrühren, den Bratensatz binden* *unterrühren, mit* *abschmecken*
Strom:	*175−200, **Gas:** 3−4*
Bratzeit:	*2¹/₂−3 Stunden.*

Schälklöße in Rindfleischsuppe

Für die Rindfleischsuppe

**375 g Rind-
fleisch
250 g Mark-
knochen**

*beide Zutaten unter fließendem
kalten Wasser abspülen, in*

**2 l kaltes
Salzwasser** *geben, zum Kochen bringen*
3 Möhren *putzen, schrappen*
**1 Stück
Sellerie** *schälen*
350 g Erbsen *auspahlen
das Gemüse waschen, etwa 30 Minuten vor Beendigung der Koch-
zeit in die Brühe geben, zum
Kochen bringen, gar kochen
das gare Fleisch herausnehmen,
in Würfel schneiden
die Brühe durch ein Sieb gies-
sen, Sellerie und Möhren in Würfel schneiden, mit den Erbsen
und den Fleischwürfeln in die
Brühe geben, warm stellen
für die Schälklöße*

**600 g gekoch-
te Kartoffeln
(vom Vortag)** *reiben, in eine Schüssel geben,
mit*

**Weizenmehl
1−2 Eiern
Salz** *zu einem geschmeidigen Teig verkneten, die Tischplatte gut mit
Weizenmehl bestäuben, den Teig
darauf dünn ausrollen, mit*

**gebräunter
Butter** *bestreichen*
Semmelbrösel *darüber streuen, den Teig zusam-
menrollen, in etwa 1 cm breite
Scheiben schneiden
die Rindfleischbrühe wieder zum
Kochen bringen, die Teigschnek-
ken hineingeben, in wenigen
Minuten gar ziehen lassen (Schäl-
klöße sind gar, wenn sie an der
Oberfläche schwimmen)*

**gehackte
Petersilie** *über die Suppe streuen*
Garzeit: *Etwa 2$^{1}/_{2}$ Stunden.*

Ostpreußischer Fischtopf

200 g Weiße Bohnen	waschen, in
1 l Wasser	12—24 Stunden einweichen, in dem Einweichwasser zum Kochen bringen, die Bohnen in etwa 1 Stunde fast weich kochen
2—3 Zwiebeln	abziehen, fein würfeln
50 g Butter	zerlassen, die Zwiebeln darin andünsten
250 g enthäutete Tomaten	in kleine Würfel schneiden (die Stengelansätze entfernen), mit
2 Eßl. Tomatenmark	zu den Zwiebeln geben, mitdünsten lassen von der Bohnenkochflüssigkeit 1 l abmessen, hinzufügen, zum Kochen bringen
250 g Kartoffeln	schälen, waschen, in kleine Würfel schneiden, hinzufügen, zum Kochen bringen, etwa 15 Minuten kochen lassen
500 g Seelachsfilets	unter fließendem kalten Wasser abspülen, trockentupfen, in kleine Stücke schneiden, zu den Kartoffeln geben, gar ziehen lassen die Bohnen ohne Flüssigkeit in den Eintopf geben, mit
Salz, Pfeffer gerebeltem Majoran	würzen, mit
1 Eßl. gehackter Petersilie	bestreut servieren
Garzeit:	Etwa 1½ Stunden.

Stampfkartoffeln

1 kg Kartoffeln	schälen, waschen, in Stücke schneiden, in
Salzwasser	zum Kochen bringen, gar kochen lassen, abgießen, mit dem Kartoffelstampfer zerdrücken, nach und nach

250 ml (¹/₄ l) heiße Milch 60 g weiche Butter	unterrühren, so lange rühren, bis ein geschmeidiger Brei entstanden ist, mit
Salz geriebener Muskatnuß	abschmecken.
Kochzeit:	20—25 Minuten.
Beigabe:	Gebräunte Zwiebelringe, Buttermilch.

Schlesische Kartoffelsuppe (Foto)

1 Zwiebel	abziehen, würfeln
75 g durchwachsenen Speck	in Würfel schneiden
2—3 Eßl. Speiseöl	erhitzen, Zwiebel und Speck darin andünsten
¹/₂ Sellerieknolle	schälen, waschen, in Würfel schneiden
1 Stange Porree	gründlich waschen, in Scheiben schneiden (evtl. nochmals waschen)
500 g Kartoffeln	schälen, waschen, in Würfel schneiden das Gemüse zu der Speck-Zwiebel-Masse geben, mitdünsten lassen
1 l Wasser	hinzugießen
3 gestrichene Eßl. Klare Instant-Fleischbrühe	unterrühren, zum Kochen bringen, gar kochen lassen
2 Paar Knoblauchwürste 2—3 Gewürzgurken	die beiden Zutaten in Scheiben schneiden, kurz vor Beendigung der Garzeit in die Suppe geben, miterhitzen
Garzeit:	Etwa 35 Minuten.

Bechamel-Kartoffeln (im Foto oben)

750 g kleine Kartoffeln **Wasser**	in so viel zum Kochen bringen, daß die Kartoffeln bedeckt sind, gar kochen lassen, abgießen, mit kaltem Wasser übergießen, pellen
75 g durchwachsenen Speck	in Würfel schneiden
1 EßI. Butter	zerlassen, die Speckwürfel darin ausbraten
1 Zwiebel	abziehen, würfeln, darin andünsten, mit
25 g Weizenmehl	bestäuben, kurz miterhitzen
250 ml (¹/₄ l) Fleischbrühe **125 ml (¹/₈ l) Milch** **125 ml (¹/₈ l) Schlagsahne**	hinzugießen, mit einem Schneebesen durchschlagen, darauf achten, daß keine Klumpen entstehen die Soße zum Kochen bringen, etwa 5 Minuten kochen lassen, mit
Salz, Pfeffer geriebener Muskatnuß	würzen die lauwarmen Kartoffeln in die Soße schneiden, unter vorsichtigem Umrühren darin erhitzen
2 EßI. gehackte Petersilie	unterrühren
Kochzeit für die Kartoffeln:	20–25 Minuten
für die Soße:	5–10 Minuten.

Ostdeutscher Kartoffelsalat
(im Foto unten)

1 kg Salatkartoffeln **Wasser**	waschen, in so viel zum Kochen bringen, daß die Kartoffeln bedeckt sind, gar kochen lassen, abgießen, abdämpfen,
	Kartoffeln noch heiß pellen
2 Salzgurken	beide Zutaten in dünne Scheiben schneiden
2 Zwiebeln	abziehen, würfeln
	für die Salatsoße
4 EßI. Salatöl	mit
5 EßI. Kräuteressig **Salz** **Pfeffer** **Zucker**	verrühren die Salatsoße mit den Salatzutaten vermengen, gut durchziehen lassen
200 g durchwachsenen Speck	in Würfel schneiden
3 EßI. Speiseöl	erhitzen, die Speckwürfel darin ausbraten, mit
5 EßI. Wasser	loskochen die Speckgrieben mit der Flüssigkeit über den Kartoffelsalat geben
Kochzeit:	20–25 Minuten.

Hefeklöße *(Foto)*

500 g Weizenmehl	*in eine Schüssel sieben, mit*
1 Päckchen Trocken-Hefe	*sorgfältig vermischen*
1 Teel. Zucker	
Salz	
300 ml lauwarme Milch	*hinzufügen, alles mit einem elektrischen Handrührgerät mit Knethaken zuerst auf der niedrigsten, dann auf der höchsten Stufe in etwa 5 Minuten zu einem Teig verarbeiten, sollte er kleben, noch etwas Mehl hinzufügen*

den Teig an einem warmen Ort so lange stehenlassen, bis er etwa doppelt so hoch ist, ihn dann auf höchster Stufe nochmals durchkneten, zu einer Rolle formen, in 12 Stücke teilen, daraus Klöße formen

die Klöße auf einem bemehlten Brett abgedeckt nochmals so lange an einem warmen Ort stehenlassen, bis sie sich etwa verdoppelt haben

einen breiten Topf bis zu etwa $1/3$ mit

Wasser	*füllen, ein Küchenhandtuch über die Topföffnung legen, mit Küchengarn festbinden, das Wasser zum Kochen bringen*

die Klöße nebeneinander auf das Küchenhandtuch legen, mit einer Schüssel oder Topf entsprechender Größe bedecken, gar dämpfen lassen (Klöße evtl. in 2 Portionen gar dämpfen)

die Klöße in einer vorgewärmten Schüssel anrichten, sofort mit

125 g zerlassener, gebräunter Butter	*servieren*
Dämpfzeit:	*Etwa 15 Minuten.*
Beigabe:	*Heidelbeer- oder Sauerkirschkompott, Zimt-Zucker.*

Kartoffelklöße

750 g mehligkochende Kartoffeln	*waschen, in so viel Wasser zum Kochen bringen, daß die Kartoffeln bedeckt sind, gar kochen lassen, abgießen, abdämpfen, heiß pellen, durch die Kartoffelpresse geben*
100 g gesiebtes Weizenmehl	*mit*
1 Ei	
Salz	*und nach Belieben*
geriebener Muskatnuß	*verkneten*
	die Klöße in
kochendes Salzwasser	*geben, zum Kochen bringen, gar ziehen lassen*
Kochzeit für die Kartoffeln:	*20—25 Minuten*
Garzeit für die Klöße:	*Etwa 15 Minuten.*

Kartoffelklöße zu Rinderbraten und Rotkohl reichen.

Pflaumen-Kompott (Foto)

500 g Pflaumen	waschen, halbieren, entsteinen
125 ml (1/8 l) Wasser	mit
50 g Zucker	zum Kochen bringen, Pflaumen,
1 Stück Stangenzimt	
3 Nelken (nach Geschmack)	hineingeben, zum Kochen bringen, weich kochen das Kompott erkalten lassen, evtl. mit
Zucker	abschmecken.

Mohnklöße

375 g gemahlenen Mohn	mit
500 ml (1/2 l) kochender Milch	übergießen, etwa 10 Minuten quellen lassen
2−3 Eßl. Honig oder Sirup	
100 g zerlassene Butter	
100 g Rum-Rosinen	unterrühren
3−4 Brötchen (Semmeln)	in Scheiben schneiden Brötchen und Mohnmasse abwechselnd in eine Glasschüssel schichten, die oberste Schicht soll aus Mohn bestehen, mit
1−2 Eßl. Zucker	bestreuen
5 Eßl. heißes Wasser oder Rum	darüber geben die Mohnklöße 10−12 Stunden kalt stellen (Kühlschrank), mit einem Eßlöffel Portionsstücke abstechen, als Dessert servieren.

Mohnkuchen mit Streuseln

Für den Teig

500 g Weizen-
mehl in eine Schüssel sieben, mit
1 Päckchen
Trocken-Hefe sorgfältig vermischen
75 g Zucker
1 Päckchen
Vanille-
Zucker
Salz
75 g zerlas-
sene, lauwar-
me Butter oder
Margarine
250 ml (¹/₄ l)
lauwarme
Milch hinzufügen, alles mit einem
elektrischen Handrührgerät mit
Knethaken zuerst auf der nie-
drigsten, dann auf der höchsten
Stufe in etwa 5 Minuten zu einem
Teig verarbeiten, an einem warmen Ort so lange stehenlassen,
bis er etwa doppelt so hoch
ist, ihn dann auf der höchsten
Stufe nochmals gut durchkneten
den Teig auf einem gefetteten
Backblech ausrollen, vor den
Teig einen mehrfach umgeknick-
ten Streifen Alufolie legen

für den Belag

500 g gemah-
lenen Mohn mit heißem Wasser überbrühen,
etwas quellen, gut abtropfen
lassen

125 g Zucker
1 Päckchen
Vanille-
Zucker
4 Tropfen
Backöl Zitrone
¹/₂ gestriche-
nen Teel. ge-
mahlenen Zimt hinzugeben, mit
75 g zerlas-
sener Butter
oder Marga-
rine

knapp 125 ml
(¹/₈ l) heis-
ser Milch
oder 1 Eßl.
Honig zu seiner streichfähigen Masse
verrühren

75 g verlese-
ne Rosinen unterheben, die Masse abkühlen
lassen, gleichmäßig auf den
Teig streichen

für die Streusel

200 g Weizen-
mehl in eine Schüssel sieben
100 g Zucker
1 Päckchen
Vanille-
Zucker
1 Messerspitze
gemahlenen
Zimt
100 g Butter
oder Marga-
rine (in
Flöckchen) dazugeben, zu Streuseln vermengen, gleichmäßig auf den Belag
streuen
vor den Teig einen mehrfach ge-
knickten Streifen Alufolie legen
Strom: 175−200 (vorgeheizt)
Gas: 5 Minuten vorheizen 3−4,
backen 3−4
Backzeit: 25−30 Minuten.

Alphabetisches Rezeptverzeichnis

Alphabetisches Rezeptverzeichnis

St

T

V

W

Z